KB091058

유 도 무 기 학

이영욱 · 최창규 공저

NODE MEDIA
노 드 미 디 어

머리말

인류의 역사는 전쟁의 역사라고 볼 수 있다. 전쟁에서 승리한 나라와 패배한 나라의 차이는 우리가 많이 듣고 보아왔다. 이 때문에 인류의 역사가 시작되면서 인간은 무기를 만들어 그것을 사용하여 자신과 이웃을 지키는 도구로 사용하였으며 이와 같은 상황은 오늘날 우리가 살아가는 현재나 미래에도 크게 변하지 않을 것으로 판단된다.

또, 전쟁에서 승리를 쟁취하기 위해서는 반드시 필요한 것에 대해 지식을 습득하는 것이 중요함을 손자도 그의 병법을 통해 "지피지기면 백전불패"라고 했고 또, 전쟁을 치르는 것 보다는 억제할 수 있는 방법을 찾는 것이 가장 현명한 대비책이라고 할 수 있으나 피할 수 없는 현실에 직면 했을 때에는 나의 의지와 무관하게 무력으로 대응해야하는 것이 현실이다.

최근 걸프전, 코소보전, 이라크전 이후에 제기되고 있는 새로운 세계의 전쟁들을 미루어 보아 전쟁의 양상과 전장의 형태가 다양한 형태로 변화 되어가고 있으며 기존의 재래식 전투와 기술력을 바탕으로 한 전자전 형태로 양분되어 진행되고 있지만 새로운 무기체계들의 등장과 또, 그들을 능가할 수 있는 더 나은 무기체계가 요구될 것으로 본다.

이를 대응하기 위해 장차 미래전쟁을 수행 할 수 있는 무기체계 개발의 중요성이 인식되고, 특히 첨단무기체계에 기초를 둔 중장거리 정밀타격 유도무기의 등장이 가속화 될 것으로 판단되어 본 교재를 작성하였고 군의 무기체계에 대한 지식과 견문을 넓히고자하는 많은 학생들과 무기를 사랑하고 연구하는 모든 사람들에게 도움을 주고 특히, 앞으로 육군을 이끌어나갈 초급간부들을 양성하는 기본교재로 제공되어 육군의 발전과 우리나라의 자주국방에 일익을 하고자 한다.

2006. 3
저자 씀

▣ 차 례 ▣

NOTE ··

제1장 유도무기 개요

1.1 유도무기 소개

1.1.1 유도무기의 사용

유도무기(Guided weapon)란 탄두가 표적에 명중하도록 유도하는 장치를 갖춘 무기를 말한다. 유도무기는 비유도무기에 비하여 긴 사거리의 표적까지 정확하게 탄두를 운반하여야하기 때문에 비 유도무기에서 사용되고 있는 강내 외 탄도학적 특성으로는 한계가 있다. 재래식 화포와 같은 비유도무기가 갖는 탄도학적 한계성에는 짧은 사거리와 낮은 명중률을 들 수 있다. 화포의 사거리를 증대시키기 위하여서는 포구속도가 상당히 증가되어야 하고, 사거리가 증대함에 따라 탄두의 비행 안정성과 높은 명중률도 유지되어야 한다. 이러한 비유도무기의 한계성을 극복하기 위한 방법의 하나로 로켓(Rocket)을 개발하여 탄두를 지속적으로 추진하는 방법이 사용되고 있으며, 탄두의 안정된 비행과 명중률의 향상을 위해서는 탄두의 속도와 방향을 제어할 수 있는 유도장치가 필요하게 되었다.

1.1.2 유도무기의 발전 추이

유도무기는 제2차 세계대전 중에 독일의 V-2 장거리 유도미사일이 개발된 후 현재까지 계속 발전하였으며, 다른 무기에 비하여 급속한 발전을 이룩하였다.

유도무기는 최근의 중동전, 포클랜드전 그리고 걸프전에서 사용된 무기들이 보여준 바와 같이 성능이나 운용면에서 눈분신 발전을 계속하였으며, 이는 전쟁의 승패를 좌우하는 중요한 요소로 작용하고 있다. 그러나, 전자전 기술이 이에 못지않게 개발되어 발전하고 있는 실정이므로 유도무기의 성능향상을 위한 노력도 계속되고 있다. 유도무기는 최종탄도학적 기능을 수행하는 탄두(Warhead), 탄두의 기능을 조정하는 신관, 명중률을 향상시키기 위한 유도 및 제어장치, 그리고, 탄두를 표적까지 운반하는 추진장치 등으로 구성되어 있다. 아래에 유도 및 제어와 추진장치에 대해 살펴보고, 유도 및 제어에서는 유도무기의 분류, 비행탄도, 유도장치의 구성 및 제어방법을, 추진장치에서는 유도무기에서 일반적으로 채택되는 로켓에 대한 기본 원리를 설명하도록 한다.

1.2 유도탄의 유도단계

유도탄의 유도는 초기유도와 본 유도로 구분할 수 있다.

1.2.1 초기 유도단계

초기유도 단계는 유도탄이 발사된 직후부터 탄이 추적레이더 빔 폭 내에 들어올 때까지의 단계로 적외선 측각기를 사용하여 제어하는 단계이다. 발사 직후 유도탄은 표적을 추적 중인 추적레이더 빔으로부터 다소 벗어난 위치에 있게 되는데 이 기간 동안에는 시계가 넓은 적외선 측각기를 사용하여 탄을 추적레이더 빔 폭 내로 유도하게 된다. 추적레이더 시계 내에 진입까지는 대략 발사 후 0.3초~2.5초 정도가 소요된다.

1.2.2 본 유도단계

본 유도 단계는 추적레이더를 이용하여 유도탄을 유도하는 단계로 유도탄이 추적레이더 빔폭 내에 들어오는 시점부터 유도탄이 표적을 격추할 때까지를 말한다. 이 단계에서 천마는 시선 지령 유도 방식(CLOS : Command to the Line of Sight)으로 유도탄을 유도하는데, 이 방식은 발사점에서 추적레이더를 통하여 유도탄과 표적이 일직선상에 위치하도록 유도하는 방법이다.

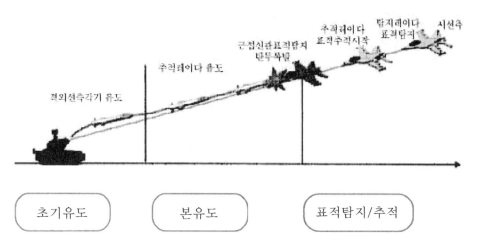

그림 1.1 유도 단계도

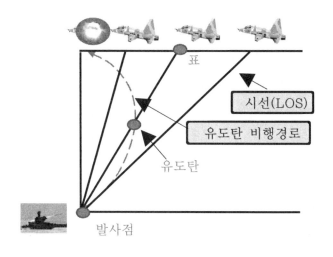

그림 1.2 3점유도

따라서 유도탄과 표적이 추적레이더의 정 중앙에 일직선을 이루고 있는지를 지속적으로 측정하고 미 일치 시에는 유도탄에 지령을 내려 일치하도록 하게 되는데, 사격통제 장치에서 모든 유도명령을 산출하고 명령하며, 유도탄은 지령에 의해 마치 무선조종 비행기처럼 움직이게 된다. 이 방식은 발사점과 유도탄, 그리고 표적이 동일 선상에 위치하도록 유지하여 표적을 격추시키기 때문에 3점 유도라고도 하며 전체적인 탄의 궤적이 타원을 그리며 비행하게 된다.

시선 지령유도방식은 장거리에서는 오차가 크기 때문에 비교적 사정거리가 짧은 유도탄에 많이 적용되는 방식으로, 비교적 저렴하고 단순한 반면 명중될 때까지 계속 발사기지로부터 유도되어야 하고, 시선에 장애가 있으면 실패로 끝날 수 있는 단점이 있다.

1.3 유도무기 기능

유도무기와 다른 형태의 탄자(자유로켓 포함)와의 근본적인 차이점은 유도무기는 발사 후 목표에 명중될 때까지 계속적으로 유도된다는 것이다. 다른 무기체계에서는 발사되기 전 탄자가 목표를 정확히 조준하여야만 명중시킬 수 있다. 포는 일단 구입하여 장비하면 탄약가격이 로켓이나 유도무기보다 싸고 탄약 또한 작기 때문에 병참지원의 문제점은 비교적 적어진다. 반면에 유도무기는 재래식 포에 비하여 사거리를 훨씬 증가시킬 수 있는 지대지 간접화력으로서, 대공방어의 주요장비로서, 또한 보병부대에서는 주력전차를 파괴시킬 수 있는 우수한 무기로서 성장하였다.

그림 1.3은 유도무기의 개략적인 구성도이다. 유도무기의 주요부는 탄두, 목표에 유도하기 위한 유도장치, 노즐과 날개를 움직여 항로를 변경하기 위한 액추에이터(actuator), 유도장치와 액추에이터를 작동하기 위한 전원, 로켓 모터와 날개이다. 유도무기의 크기와 부품 등은 임무, 사거리 및 치사성의 요구에 의하여 변화된다. 예로서 가장 간단하고 소형인 유도무기는 대전차 유도무기이다.

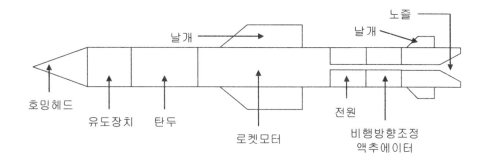

호밍헤드   유도장치   탄두   로켓모터   전원   비행방향조정 액추에이터   날개   노즐

그림 1.3 유도무기의 구성품

NOTE ···

제2장 유도 및 제어

2.1 유도

2.1.1 독립유도방식(independent guidance system)

고정목표에 사용되는 장거리유도탄이나 지대지미사일에는 독립 유도방식인 관성유도장치(inertial guidance system)가 주로 사용된다. 관성유도방식은 다음의 3단계로 이루어진다.

가. 항행(navigation) – 임의의 좌표계로부터 측정된 자료를 이용하여 계산하고 현재의 위치, 속도를 측정한다.

나. 유도(guidance) – 현재의 위치와 속도를 기준으로 지정된 목표에 도달하기 위한 방향을 지시한다.

다. 제어(control) – 유도를 위한 계산결과에 의해 지시된 방향으로 지향하는 것을 말한다.

관성유도방식이란 문자 그대로 뉴턴의 운동법칙에 의해 유도되는 과정을 말한다. 운반체의 가속도를 측정하여 가속도를 두 번 적분하면 움직인 거리가 계산된다. 이때 최초의 위치 및 속도를 알 수 있으면 먼저 계산된 거리로부터 운반체가 이동한 새로운 위치를 알 수 있다. 이것을 수식으로 표시하면 다음과 같다.

$$R = \int V dt + R_0 = \int \int (a dt) dt + V_0 t + R_0$$

이때 임의의 좌표계에서 가속도 a는 작용된 외력 F에 비례하는 뉴턴의 운동 제2법칙이 적용되어야 한다.

$$F = ma$$

윗 식이 성립하는 좌표계를 관성좌표계라고 한다.

현대식 관성유도장치는 다음의 5가지 기본 구성품으로 되어 있다.

1) 가속도계(accelerometers)
2) 자이로 안정장치(gyro-stabilized platform)
3) 컴퓨터(computer)
4) 시계(clock)
5) 제어장치(control system) 혹은 자동조정장치(autopilot)

가속도계는 운반체의 속도를 측정하는 것으로서, 운반체가 가속됨에 따라 시험 질량(test mass)자체가 가속되게 된다. 시험 질량의 운동은 전기신호로 변환되어 가속도를 시간에 대해 두 번 적분하면 이동한 거리를 알 수 있다. 통상 X, Y, Z의 세 방향에 각각의 가속도계를 설치하고 있으나 어떤 유도장치에는 2개의 가속도계기 위에 날개의 고도계로서 고도를 측정하기도 한다.

자이로 안정장치는 고정된 좌표계의 기본축방향에 가속도계를 지향시키기 위한 장치이다. 안정장치는 기준계에 대하여 가속도계의 방향을 지정하거나 측정하는 기능을 수행한다. 즉, 안정장치는 기본 좌표계에 대하여 가속도계의 방향을 지시함으로써 운반체가속도의 각 좌표축에 대한 성분을 표시하는 것이다.

컴퓨터는 가속도신호를 적분하고, 중력가속도를 계산하고, 좌표계 변환을 실시하고, 이상적인 비행경로와 계산된 비행경로를 비교하는 역할을 한다. 초기에는 아날로그-디지털 혼합형컴퓨터를 사용하였으나, 정확성, 속도, 저장 및 기억능력의 필요 때문에 현대의 관성유도장치에는 거의 디지털 컴퓨터를 사용한다. 시계는 중력장의 방향과 강도에 영향을 미치는 천체의 위치를 예측하고, 지구와 함께 회전하는 회전좌표계의 방향을 지정하는 기준시간을 제공하며, 가속도계의 적분을 위한 시간중분, dt를 제공한다. 관성유도장치의 블록선도(block diagram)가 그림 2.1에 있다. 컴퓨터는 내장된 비행거리와 가속도계의 적분값과 비교하고, 이 차이는 오차신호(ε)로서 자동조정장치에 보내져 수정되어 피드백된다.

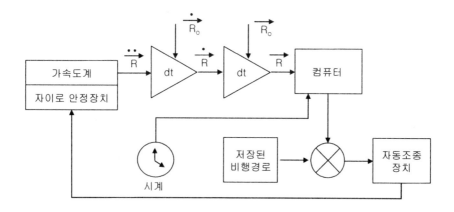

그림 2.1 관성유도장치의 블럭선도

관성유도방식은 지정된 경로로 운반체를 유도하는 이상적인 방법으로서, 발사후 외부로부터의 자료가 필요하지 않으므로 적의 전자전과 재밍(jamming)의 방해를 받지 않는다. 그러나 이동목표를 추적하기 위한 단거리유도탄에는 사용이 불가능하다. 또한 모든 유도장치가 운반체에 포함되어 있으므로 단 1회 사용으로 값비싼 컴퓨터, 자이로스코프, 가속도계가 파괴된다는 단점이 있다.

2.1.2 종속유도방식(dependent guidance system)

장거리유도탄이 고정목표에 사용되는 데 비하여, 단거리유도탄은 주로 이동목표에 사용되기 때문에 목표의 정확한 관측이 필요하며, 유도탄을 목표로 신속히 보내 주는 것이 가장 중요하다. 가장 오래된 단거리유도탄은 제2차 세계대전시 독일의 X-4로서 항공기로부터 발사된 유도탄을 유선 원방조정방식에 의하여 유도하여 적의 폭격기를 격추시키는 데 사용하였다. 유선유도방식은 그 후에 지상에서 전차나 차량을 공격하기 위하여 사용되었으며, 유도가 간단하고 전파방해나 혼신의 영향은 받지 않는 이점이 있다. 다음은 대부분의 단거리유도탄에 사용되는 레이더유도방식에 대하여 알아보기로 한다.
유도탄은 유도장치에 의하여 목표를 명중시키도록 정확히 유도되어야 한다. 이러한 목적을 달성하기 위하여 지상에서 발사된 유도탄은 지상으로부터 송신된 유도신호를 받아 유도되는 지령유도방식(command guidance system)에 의하여 유도되며, 유도탄이 목표에 접근되면 목표로부터 수신된 유도에 의하여 유도되는 호밍유도방식(homing guidance system)으로 보다 정확한 목표유도를 달성한다.

가. 지령유도방식(command guidance system)

지령유도방식은 목표추적장치, 목표, 유도탄 위치의 3점 유도계통으로서 유도탄이 추적장치, 즉 지상레이더와 목표를 연결하는 선상에 위치하도록 유도한다. 이 유도방식은 최초에 두 개의 지상레이더에 의하여 목표와 유도탄을 각각 추적하여 전자계산기로 유도탄 위치편차를 산출하고 펄스 변조된 유도신호를 UHF송신장치에 의하여 별도로 송신하거나 유도탄 추격레이더에 의하여 송신하는 무선유도방식이 사용되었다.

근래에 많이 사용되는 지령유도방식은 빔유도방식(beam riding system), 수동식, 반자동식, 디퍼런셜 트래킹 방식(differential tracking system)등이다. 빔유도방식은 지상 레이더빔이 목표를 지향하고 있으면 유도탄 내부의 수신장치가 빔 중앙으로부터 유도탄의 각 편차를 감지하여 유도신호를 만들어 줌으로써 유도탄을 레이저 빔 중앙으로 유도한다. 수동식은 사람에 의하여 목표와 유도탄이 추적되고 동시에 유도신호를 보내어 유도하는 방법으로서 대전차유도탄에 많이 사용된다. 숙달된 운용자는 매우 효과적인 유도탄 조정능력을 갖는다. 반자동식은 그림 2.2에서와 같이 사람이 목표를 가시장치에 의하여 정확히 추적하면 자동적으로 컴퓨터에 의해 유도신호를 유도탄으로 보내어 유도하는 방법이다.

디퍼런셜 트래킹 방식은 목표추적편차를 제거하기 위하여 여러 개의 레이더빔을 형성해 주는 것을 제외하면 빔유도방식과 같다. 유도탄은 발사 직후에 자동비향으로 유도빔 내로 진입하며 그 다음부터 빔신호를 받아 목표로 유도된다. 지대공유도탄은 분리된 두 개의 레이더로 목표를 추적하여 유도효과를 증가시키는 방법이 유용하게 사용되며, 항공기에서 발사되는 공대공유도탄은 하나의 레이더유도빔에 의하여 여러 개의 유도탄을 유도하는 방법이 사용된다.

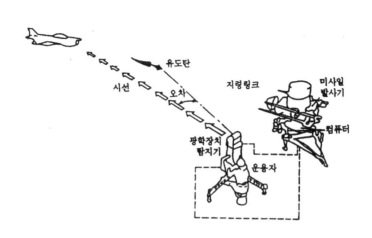

그림 2.2 반자동유도

나. 호밍유도방식(homing guidance system)

호밍방식은 유도탄의 위치와 목표의 2점 유도계통으로서 목표로부터 수신된 신호에 의하여 유도탄 자체가 목표방향으로 유도된다. 이것은 유도탄이 목표에 접근됨에 따라 지상으로부터의 거리가 멀어지고, 따라서 지령유도에 의한 오차도 커지기 때문에 유도탄의 명중률을 높이기 위하여 사용되며, 능동호밍, 반능동호밍, 수동호밍의 세 가지 방법이 있다.

능동호밍은 유도탄 내부에 장치된 레이더로부터 방출된 신호가 목표에 반사되어 돌아온 반사신호를 유도탄에서 수신하여 목표방향으로 유도탄의 방향을 정확하게 유도해 주는 방법이다.

반능동호밍은 지상레이더로부터 송신된 신호가 목표에 반사되어 돌아온 방사신호에 의하여 유도하는 방법이며 유도탄에는 송신장치가 설치되지 않는다. 이것은 유도탄의 무게와 제작비를 적게 할 수 있는 장점이 있으나 잘못하면 유도탄이 지상송신장치를 공격할 위험성이 있다.

수동호밍은 적기로부터 방출되는 레이더신호나 적외선신호를 수신하여 유도하는 방법으로 송신장치가 전혀 필요하지 않다. 적기의 레이더신호는 2~3초의 긴 시간간격에 한 번씩 수신되기 때문에 어려운 점이 있어서 잘 사용되지 않고 주로 적외선호밍방법이 매우 유용하게 사용된다. 적기로부터 배출되는 가스에는 열이 방출되며, 여기에 적외선이 포함되어 있다. 유도탄 앞부분에 장치된 적외선 감지장치는 적외선이 들어오는 방향으로 회전할 수 있도록 되어 있어서, 이 회전운동을 서보계통(servo system)으로 보내 줌으로써 유도탄을 유도한다. 모든 빛은 적외선을 가지고 있기 때문에 기상조건에서 수신되는 적외선을 제거하여야 하는 어려운 점이 있지만 지대공유도탄에서는 매우 효과적으로 쓰이고 있다.

2.2 제어계통

유도탄의 비행위치가 지상레이더에서 추적된 목표 방향선과 다른 위치에 있으면 그 편차를 측정하여 제어계통에 의하여 편차를 감소시켜야 한다. 따라서 제어계통의 문제는 편차신호에 따라 신속하고 효과적으로 유도탄을 이동시키는 것이며, 그 방법에는 직교좌표법과 극좌표형식의 트위스트 앤드 스티어(twist and steer) 방법이 있다. 직교좌표법은 좌우편차와 고저편차르 측정한 두 개의 신호를 받아 유도탄의 후부표면에 설치된 방향타(rudder)와 승강타(elevator)를 동작시켜 방향을 조종하며, 트위스트 앤드 스티어방법은 편차거리와 편각을 측정한 두 개의 신호에 의하여 유도탄동체를 편각신호에 따라 승강타르 동작시킨다. 그림 2.3에 각종 제어방법을 분류, 도시하였다.

2.2.1 롤링제어방식(roll control system)

직교좌표제어에서 유도탄은 비행도중 회전하는 것을 원치 않는다. 그러나 유도탄은 비행기처럼 긴 날개가 없기 때문에 실제로 제작상의 오차나 초음속비행시 방향타와 승강타가 동시에 동작할 때 생기는 제어표면의 불균형부하 또는 저공비행시 대기 불안정으로 인하여 회전하려는 경향이 발생한다. 따라서 유도탄은 가능한 한 가늘고 길게 설계하며, 또한 유도탄 후미에 안정핀을 동체회전에 무관하게 설치해 주기도 한다.

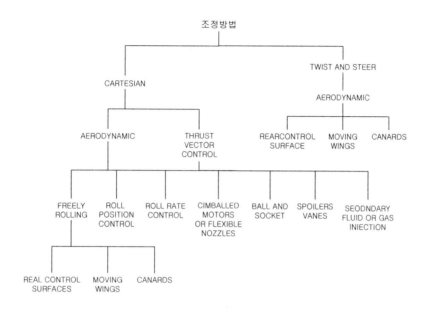

그림 2.3 유도탄 제어방법

지령유도방식에서는 유도탄의 회전에 의하여 계통이 불안정하게 되기 때문에 롤 자이로(roll gyro)와 리졸버(resolver)를 사용하여 방향 및 승강제어를 정확하게 수정해 주어야 하지만, 호밍유도방식에서는 유도수신장치와 제어계통이 함께 회전하기 때문에 유도탄회전에 의한 제어수정이 불필요하다.

2.2.2 공기역학적 제어(aerodynamic lateral control)

승강제어는 방향제어와 동일하므로 방향제어에 관해서만 논하기로 한다. 대부분의 전술유도탄은 고정날개를 가지며, 압력중심(CP)이 무게중심(CG)과 후부의 방향타 사이에 있도록 설계된다. 음속비행에서는 방향타를 날개 바로 뒤에 위치시켜 전체표면을 조정함으로써 제어효과를 증진시킨다. 초음속비행에서는 날개 바로 뒤가 진공상태이므로 가능한 한 뒤에 방향타를 위치시킨다. 연료의 사용에 따라 무게중심이 이동하는 것을 막기 위하여 연료는 무게중심 근처에 위치시키고, 탄두와 신관은 유도수신장치 등 전자장비와 함께 유도탄의 두부에 위치하므로 제어계통은 미부에 설치하게 된다. 그림 2.5에서 유도탄이 일정한 속도 U_m으로 비행할 때 고정날개와 방향타에 의한 수직력 N과 방향타의 편각 S에 의한 부가적인 힘 N_c를 보여 준다. N은 CP에 작용되기 때문에 CP와 CG의 거리에 비하여 CG와 방향타의 거리가 크면 클수록 유도탄의 방향제어가 용이하다. 따라서 CP와 CG의 거리를 되도록 작게 해 주는 것이 좋다. 그러나 만일 CP가 CG의 전방에 위치하면 유도탄은 불안정하게 된다. 일반적으로 압력중심과 무게중심 사이의 거리는 유도탄 전체길이의 5%정도로 해준다. 그 밖에 방향타를 유도탄의 두부에 설치하여 방향제어를 더욱 용이하게 해주는 방법과 날개를 움직여서 방향조정제어를 수행할 때 유도탄의 안정을 증가시키는 방법 등이 간혹 사용된다.

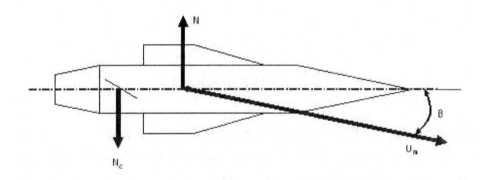

그림 2.4 방향키 제어

2.2.3 추력벡터조정(thrust vector control)

유도탄의 방향제어를 분사추진방법에 의하여 수행하는 것으로서 유도탄의 분사방향을 조정하여 달성된다. 이 방법은 속도가 느리거나 공기가 희박한 성층권을 비행하는 장거리유도탄, 발사직 후부터 유도탄을 유도하여 짧은 거리의 목표로 신속히 이동하는 대전차유도탄, 단거리 공대공유도탄, 수직발사 후 신속히 방향을 바꾸는 유도탄, 잠수함에서 발사된 유도탄 등에 사용된다. 이것은 특히 급속한 방향전환에 매우 유용하며, 유도탄을 90o로 방향 전환하는 데 0.4초가 소요된다.

2.3 유도장치의 구성

모든 무기는 초탄 명중률이 높아야 한다. 비유도무기의 명중률이 낮은 이유는 포구를 출발하는 탄두의 천이탄도학적 특성, 강외 탄도의 편차, 그리고 표적의 이동 등을 들 수 있다. 비유도무기가 갖는 단점을 보완하기 위한 방법 중의 하나로 탄두의 장입밀도를 증가시켜 살살면적을 증대시키는 것을 생각할 수 있다. 그러나 이 방법은 탄두의 크기를 증가시킴으로써 비효율적인 많은 문제점들이 발생한다. 그러므로 사거리 오차를 줄이고, 초탄 명중률을 증가시키기 위해서는 탄두를 표적까지 정확하게 유도할 수 있는 장치를 갖춘 무기가 필요하다. 유도무기는 일반적으로 그림 2.5과 같은 페루프 유도시스템으로 구성되어 있다. 그림에서 보는 바와 같이 탄두의 유도에 이용되는 페루프 유도시스템은 크게 유도장치와 측정장치로 구성되어 있다. 이들 장치는 탄두자체에 설치할 수도 있고, 지상관제소에 설치할 수도 있는데 이는 유도무기의 특성과 운용방법에 따라 결정된다.

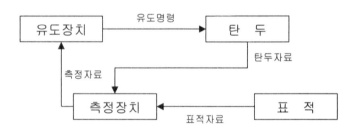

그림 2.5 페루프 유도의 블록선도

유도무기에 사용되는 유도장치는 크게 탄두에 내장되어 있는 송수신장치 그리고 탄두의 비행제원을 산출해 주는 신호처리장치로 나눌 수 있다. 신호처리장치는 표적과 탄두에 대한 자료를 분석하여 탄두의 비행제어에 적당한 명령신호를 산출하는 컴퓨터로 되어 있다. 측정장치는 탄두의 현재 비행상태를 측정하고, 추적장치에 의한 표적의 비행정보를 획득하여 유도장치에 입력함으로써 탄두에 전송할 유도명령을 계산하는데 필요한 자료를 제공하는 장치이다. 측정장치에는 여러 가지 종류가 있으며, 그 중에서 대표적인 형태에 대해 설명하면 다음과 같다. 적외선 탐지장치는 소형 호밍 유도무기에도 사용할 정도로 발달되었으나 구름, 안개, 먼지 등과 같은 장애물에서는 표적의 탐지가 곤란한 단점을 갖고 있다. 밀리파 레이다(Millimetric radar)는 적외선 탐지장치보다도 파장의 분해능력(Resolution)이 떨어지지만, 다양한 전투상황에서는 적외선 탐지장치보다도 효과적이다. 한편, 탄두의 비행제원에 대한 정보를 전달하는 수단에는 현재 광섬유가 사용되고 있으며, 컴퓨터와 신호분석장치의 고성능과 및 소형화는 유도무기의 성능향상에 큰 기여를 하고 있다.

2.4 유도방식

유도형태는 표적을 공격하는 방법에 따라 크게 표적종말 유도와 지역종말유도로 나눌 수 있다. 표적종말 유도는 이동하는 표적을 공격대항으로 하는 경우에 주로 사용되는 유도형태로서 대공무기나 전차에 장착된 무기 등에 많이 적용된다. 표적종말 유도는 탄두가 발사되어 표적에 명중될 때까지 표적의 이동을 계속 관측하는 측정장치를 갖고 있으며, 그림 2.6과 같은 블록선도로 표시할 수 있다.

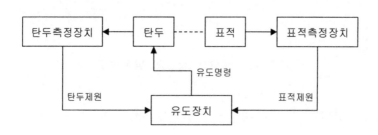

그림 2.6 표적종말 유도의 블록선도

한편, 지역종말 유도는 적의 지휘소나 통신시설 및 보급시설과 같은 지역표적이나 고정적인 목표로 하는 경우에 사용되며, 이는 탄두가 비행사는 시간동안 표적이 이동하지 않고 고정되어 있기 때문에 표적을 측정하는 장치가 필요 없어 유도과정이 간단하다.

표적종말 유도와 지역종말 유도에 공통으로 널리 사용되는 유도 방식에는 다음과 같은 종류가 있다.

2.4.1 호밍 유도

호밍(Homing)이란, 수신기능을 갖춘 탄두가 표적으로부터 방출되는 신호는 포착하여 표적을 추적하는 것을 말한다. 즉, 호밍 유도에서는 탄두의 선단에 수신장치를 부착하여 표적의 반사신호를 탐지함으로써 탄두가 표적을 추적한다.

호밍 아이(Homing eye) 또는 호밍 헤드(Homing head)라 불리우는 반사신호의 수신장치는 표적에서 방출되거나 반사되는 에너지를 탐지하여 표적을 추적한다.

호밍 유도는 표적을 추적하는 데 이용되는 에너지원에 따라 그림 2.8과 같이 능동 호밍, 반능동 호밍, 수동 호밍으로 나누어진다. 능동 호밍(Active homing)은 탄두 안에 송신 및 수신장치를 갖추고 있으며, 송신기로부터 신호가 발사되고 이 신호가 표적으로부터 반사되어 오는 신호를 수신장치가 감지하여 표적을 추적하는 방법이다.

반능동 호밍(Semi-active homing)은 지상이나 선박 또는 항공기 등과 같은 발사대나 다른 지점에서, 표적에 신호를 발사하고 표적에서 반사되는 신호를 탄두 내의 수신장치가 감지하여 표적을 추적하는 방식이다. 지상으로부터 발사되는 신호로는 레이저 빔(Laser beam)이 많이 이용되며, 탄두 내에 송신장치가 없으므로 탄두의 작약 충전율을 증가시킬 수 있고, 지상으로부터 신호를 송출하기 때문에 탄두가 반사신호를 감지할 수 있는 충분한 강도의 신호를 송출할 수 있다는 이점이 있다. 그러나 지상에서 송출하는 신호가 적에게 탐지될 경우에는 아군이 피해를 입을 수도 있다.

한편, 수동 호밍(Passive homing)은 신호를 송출하는 장치가 없고, 단지 표적 자체에서 방출하는 신호를 탄두 내의 수신장치가 감지하여 표적을 추적하는 방식을 말한다.

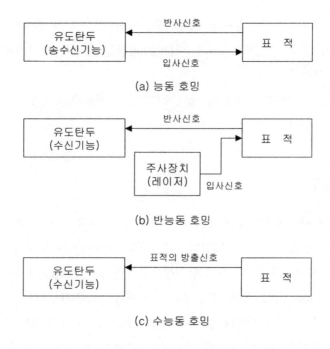

(a) 능동 호밍

(b) 반능동 호밍

(c) 수능동 호밍

그림 2.7 호밍 유도의 종류

2.4.2 관측선 유도

관측선 유도는 빔편승(Beam riding) 유도와 관측선 명령(Command to line-of-sight) 유도 및 비관측선 명령 유도방식으로 나누어진다.

가. 빔편승 유도

빔편승 유도 방식은 탄두가 레이저빔을 따라 비행하도록 하는 것으로서 대공 미사일의 유도에 최초로 이용되었으나, 현재는 대전차 유도무기나 낮은 수준의 지대공 미사일의 유도에 이르기까지 널리 사용되고 있다.

빔편승 유도에서는 표적탐지가 먼저 이루어져야 하며, 이 때 레이저 발사장치는 관측선에 나란하게 설치한다. 레이저빔은 관측선을 따라 발사되고, 관측선의 일정한 범위 안에서 정밀한 간격으로 표적에 주사되어야 한다. 주사

형태는 주사하는 중심에 관측선이 오도록 해야 하며, 탄두에 부착되는 레이저 수신기는 관측선을 따라 발사되는 빔을 잘 수신할 수 있는 위치에 설치하여야 한다.

빔편승 유도는 한 개의 빔에 여러 개의 탄두를 편승시킬 수 있는 반면, 관측선 명령의 유도방식은 각각의 탄두에 대하여 다른 명령이 필요하다. 또한, 빔편승 유도는 관측선 명령 방식보다 방해전파의 영향을 작게 받는다.

나. 관측선 명령 유도

관측선 명령 유도는 탄두가 표적을 관측하는 관측선을 따라 비행하도록 탄두에 명령신호를 보내는 유도방식을 말한다. 그러므로 관측선 명령 유도에서는 표적을 탐지하는 관측장치와 더불어 탄두의 비행을 추적할 수 있는 장치가 동시에 필요하다. 이러한 장치들은 일반적으로 탄두의 발사지점이나 또는 표적을 탐지하는 장소에 함께 설치하며, 탄두를 추적하는 추적장치의 기준축은 표적 관측장치의 기준축과 평행하게 위치하게 된다. 탄두의 추적장치는 방사된 탄두의 탄미부에서 발생하는 추진체의 화염이나 점멸등(Beacon)을 추적하고, 유도장치는 탄두의 위치와 관측선 사이의 상대적인 오차량을 계산하여 탄두에 수정비행의 명령신호를 보낸다. 즉, 지휘소에 설치된 컴퓨터는 탄두가 관측선상을 비행하도록 비행경로를 수정하는 데 필요한 측방 가속도를 계산하여 탄두에 명령하게 된다. 명령방법으로는 유선, 광섬유, 레이저통신 또는 무선통신 등을 사용한다. 탄두에 도달된 명령신호는 암호해독기에 의하여 해석되어 탄두의 측방 추력의 변화를 발생하거나 또는 탄두의 조종날개를 변화시켜 비행경로를 수정하게 된다. 관측선 명령 유도는 탄두의 명령신호를 제공하는 방식에 따라 수동식, 반자동식 및 자동식으로 나눈다.

관측선 명령 유도무기는 5km이내의 짧은 사거리를 갖는 대전차 유도무기와 낮은 수준의 지대공 유도무기에 널리 사용된다. 탄두는 비교적 가격이 저렴하고, 구조가 간단하며, 유도장치로서 점멸등이나 명령을 수신할 수 있는 장치를 포함하고 있다. 수신장치가 간단하므로 최적의 장입밀도, 추진성능 및 공기역학적 형태를 갖출 수 있는 장점이 있는 반면, 관측선이 차단될 때에는 명중도가 크게 저하하는 단점을 갖고 있다. 또한, 대공 유도무기에서는 관측선의 변화량이 크기 때문에 탄두에 명령하는 체계도 복잡할 뿐만 아니라 명령신호의 도출이 신속히 이루어져야 하므로 유도장치 내의 컴퓨터 성능이 우수해야 하다. 일반적으로 관측선 명령 유도는 장거리 유도무기에는 사용하지 않는다. 왜냐하면, 장거리 유도무기는 관측선의 유지가 곤란할 뿐만 아니라 탄두를 추적하는 오차가 크기 때문이다. 장거리에서는 대형 안테나와 렌즈를 이용하더라도 오차를 줄일 수 없기 때문에 명중률이 낮아진다. 그러므로 장거리 표적 종말 유도무기에는 호밍 유도가 많이 사용된다.

다. 비관측선 명령 유도

비관측선 명령 유도는 관측선 명령 유도와 같은 원리이나 표적과 탄두를 추적하는 위치가 분리되어 있는 것이 특징이다. 관측선 명령 유도방식이 표적 및 탄두 추적장치가 하나로 되어 있고, 모두 동일한 위치에 설치되어 있는데 비하여 비관측선 명령 유도방식은 각각 다른 위치에 설치되어 있다. 탄두의 궤적은 관측선상에 있지 않으며, 탄두는 표적을 명중시킬 수 있는 최적의 경로를 비행하도록 유도된다. 탄두에는 탄두의 추적장치에 신호를 줄 수 있는 점멸등을 부착하며, 컴퓨터는 표적 및 탄두의 방향과 거리를 동시에 파악해야 한다. 비관측선 명령 유도방식은 표적으로부터의 방해전파에 취약한 단점이 있다.

방해전파에 대한 대책은 사거리를 측정할 수 있는 레이더나 레이더 추적장치 대신에 광학추적장치를 추가적으로 사용하여야 한다.

2.4.3 항법 유도

항법 유도의 특징은 탄두가 유도용 컴퓨터를 내장하고 있으며, 탄두에 관한 정보는 탄두에 부착된 측정장치나 컴퓨터의 명령에 의해 얻는데 있다. 항법 유도 이동표적보다는 고정표적의공격에 많이 이용된다. 이동표적에 대해서는 빔편승 방식과 항법 유도방식을 혼합하여 사용한다. 탄도의 종말부근에서는 호밍 유도 방식과 혼용되는 경우도 있다. 일반적인 형태의 항법 유도는 탄도탄의 탄도나 순항탄도를 따라 비행하는 탄두에서 널리 사용되고 있는 관성 항법(Inertial navigation)을 들 수 있다. 그림 2.8과 같이 2차원 운동을 하는 탄두에 대해 관성항법 유도 과정을 설명하도록 한다.

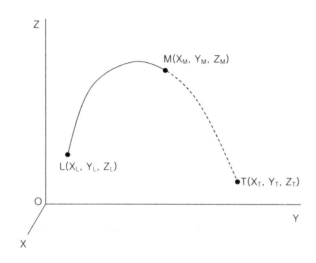

그림 2.8 관성항법 유도

관성항법을 이용하는 탄두에는 탄두의 비행상태를 측정하기 위한 안정판(Stable table) 또는 띠줄(Strap down)방식을 사용한다. 안정판 방식은 탄두 내에 짐발로 둘러싸인 금속안정판을 두어 탄두의 회전운동에도 불구하고, 금속안정판은 수평을 유지하도록 되어 있으며, 금속안정판에는 서로 수직을 이루는 세 개의 가속도계를 부착하여 탄두의 절대운동을 측정한다. 한편, 띠줄방식은 가속도계와 자이로스코프를 탄두에 고정시켜 탄두에 고정된 좌표계에서의 탄두운동을 직접 측정할 수 있게 되어 있다.

이 외에도 항성의 방향과 거리를 측정하여 탄두의 비행을 유도하는 방법인 항성유도(Celestial guide)와 이를 응용한 것으로서 우주구도에 위성을 띄워 놓고 그 위성으로부터 발사되는 신호를 포착하여 탄두의 현재 위치를 파악(GPS : Global Positioning system)하고, 탄두에 입력된 비행제원과 비교하여 탄두를 유도하는 방식이 있다.

위에서 설명한 여러 가지 유도방식 중에서 가장 높은 명중률을 갖는 것은 호밍 유도이다. 그러나 사거리가 길어짐에 따라 발사지점에 설치한 유도장치가 충분한 비행제원을 탄두에 제공하기 위해서는 레이더나 적외선 탐지장치가 대형화 되어야 할 뿐만 아니라 탄두의 크기도 증가되어야 한다. 그러므로 장거리 유도탄에서는 주로 혼합 유도방식을 사용한다. 혼합 유도방식이란, 발사초기로부터 어느 정도 비행하는 동안에는 관측선 유도방식을 사용하고, 비행 도중에는 관성 항법 방식을 사용하며, 탄두가 표적에 접근함에 따라 호밍 유도방식을 채택하는 방식을 말한다.

2.5 유도무기의 제어

유도장치에 의해 처리된 정보는 탄두의 제어장치에 보내어져 탄두의 비행을 제어하게 된다. 그러므로 유도장치와 제어장치는 분리할 수 없는 장치들이다. 그림 2.9 는 유도장치와 제어장치의 일반적인 관계를 나타낸 것이다. 유도장치 및 제어장치의 발달과 더불어 현재는 종합적인 유도 및 제어개념을 갖는 유도무기가 등장하고 있다. 신호처리장치와 기억장치로 구성되어 있는 유도 및 제어장치는 컴퓨터의 고성능 및 소형화와 광섬유와 같은 신소재를 사용함으로써 소형화되고 있다. 유도 및 제어장치에는 미리 예정된 자료, 표적에 대한 자료, 탄두의 비행제원, 주위의 환경자료 등을 단시간내에 처리하여 제어명령을 송신하게 되며, 제어대상으로는 추진장치, 공기역학적 장치, 신관 등을 둘 수 있다. 유도무기에 많이 사용되는 탄두의 비행제어 종류를 그림 2.10에 나타내었다.

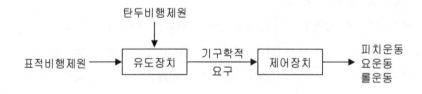

그림 2.9 유도장치와 제어장치

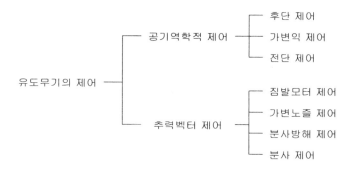

그림 2.10 유도무기에 사용하는 제어의 종류

2.5.1 공기역학적 제어

유도무기는 발사할 때 탄두가 갖는 롤(Roll)방향이 비행기간 동안 그대로 유지되도록 하는 것이 좋다. 그러나 유도무기의 날개는 항공기의 날개보다 짧기 때문에 고도 혹은 방향서보에 제어신호를 보내 피치(Pitch)나 요(Yaw) 운동을 일으키면 롤 운동도 동시에 일어나게 된다. 또한, 유도무기가 지면에 근접하여 비행할 때 불균일한 대기로 인하여 롤이 발생된다. 그러므로 유도무기는 피치 및 요운동의 제어와 더불어 롤 운동의 제어가 필요하며, 이를 공기역학적으로 제어하는 방법에는 다음과 같은 종류가 있다.

가. 후단 제어

대부분의 유도무기는 압력중심 부근에 고정날개가 있고, 탄두 후면에 후단제어(Rear control)장치를 가지고 있다. 음속 이하에서는 후단제어 장치가 고정날개 바로 뒤에 있는 것이 효율적이지만, 초음속에서는 최대 모멘트를 발휘하기 위하여 가능한 한 탄두의 후방에 위치하게 한다. 또한, 연료소비로 인한 무게중심의 이동을 최소화하기 위하여 추진장치는 탄두의 중심에 오도록 설계한다. 탄두의 비행시 압력중심이 무게중심보다 앞에 있으면 불안전한 비행이 되고, 압력중심과 무게중심이 같은 점에 있으면 중립적 안정, 압력중심이 무게중심 보다 뒤에 있으면 안정비행을 하게 된다.

나. 전단 제어

제어장치를 주날개 앞에 설치한 제어형태를 전단 제어(Canard control)라고 하는데 전단제어에 의한 탄두의 방향제어가 후단제어보다 더욱 신속한 제어반응을 얻을 수 있지만, 탄두의 비행을 불안정하게 하는 단점이 있다.

다. 가변익 제어

가변익 제어(Moving wing control)는 양력을 얻기 위한 주날개를 서보에 의해 가변익으로 하여 방향을 제어하고, 비행안정을 위하여 뒷날개를 고정하는 형태의 제어이다. 가변익 제어의 주요 목적은 탄두의 가속시 탄두의 입사각을 최소화하는데 있다. 탄두의 입사각이 커지면 램제트의 경우 공기의 흡입이 나빠진다. 또한, 탄두가 해면상을 무선 고도계에 의해 고도제어 비행을 하는 경우에도 신호의 양호한 수신을 위하여 입사각을 작게 해야 하는데 이런 두 경우 모두 가변익 제어가 효율적이다.

2.5.2 추력벡터 제어

추력벡터 제어(Thrust vector control)는 추진모터에서 나오는 추진가스의 방향을 바꾸어 줌으로써 유도무기를 제어하는 방법이다. 추진모터의 추력을 변화시키는 데는 다음과 같은 방법이 있으며, 각각의 특징에 대하여 알아보도록 하겠다.

가. 짐발모터에 의한 제어

추진모터는 그림 2.11과 같이 액체연료와 산소를 연소실에 공급하여 연소한 후 축소확대 노즐을 통과하여 대기로 방출함으로써 추력을 얻는다. 이 때 연소실은 짐발(Gimbal)로 지지되어 있고, 그 위치를 서보기구로 제어할 수 있으면 추력의 방향을 임의로 변화시킬 수 있을 뿐만 아니라 서보기구가 서로 독립적으로 제어될 경우를 롤 제어도 가능하게 된다. 이 방법은 액체연료를 사용하기 때문에 높은 비추력(Specific impulse)을 갖지만, 추진장치의 복잡성 때문에 전술 유도무기에서는 거의 사용하지 않는다.

나. 가변노즐에 의한 제어

고체연료를 사용하는 추진모터에서는 그림 2.12와 같이 가변노즐이나 볼-소켓 조인트를 사용하여 노즐을 제어한다. 가변노즐 방법은 노즐을 모터케이스에 연결할 때 축방향으로는 견고하게 고정시키고, 피치나 요 방향으로 가변성 있는 특수고무를 사용한다.

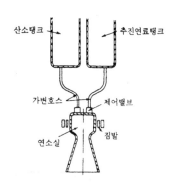

그림 2.11 짐발모터에 의한 제어

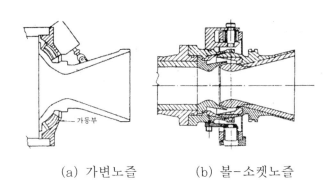

(a) 가변노즐   (b) 볼-소켓노즐

그림 2.12 가변노즐에 의한 제어

다. 분사방해에 의한 제어

분사방해에 의한 방법은 그림 2.13과 같이 추진가스의 통로에 방해물을 삽입함으로써 모멘트벡터 방향을 변화시키는 것이다. 분사방해에 의한 제어방

법은 추력의 손실을 수반하지만, 작동부분을 거의 필요로 하지 않으므로 서
보가 작아도 된다는 장점이 있다.

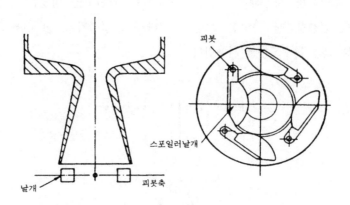

(a) 가동날개에 의한 분사방해   (b) 스포일러에 의한 분사방해

그림 2.13 분사방해에 의한 제어

라. 분사에 의한 제어

분사에 의한 방법은 그림 2.14와 같이 액체나 기체를 노wmf 내 주분사체
속으로 분사시켜 추력의 방향을 변화시킴으로써 측방의 추력성분을 얻게 하
는 제어이다. 이 방법은 장치가 간단하여 무게가 가벼운 장점이 있으나 큰
각도의 추력변화를 얻기가 어렵다.

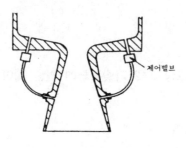

그림 2.14 분사에 의한 제어

2.6 유도무기의 추진

유도무기의 구조는 기체(Air frame)와 추진장치로 되어 있다. 기체는 유도장치, 신관, 작약 등이 금속용기로 둘러싸인 몸체(Structure)와 제어면(Wing)으로 구성되어 있다. 몸체는 각각의 구성품들이 나사, 볼트 또는 리벳으로 결합되어 로켓형상을 이루며, 몸체의 표면은 알루미늄이나 복합재료 등과 같은 경량재료로서 칸막이와 세로 기둥으로 구성된 구조물에 의해 지지된다. 제어면에는 로켓 비행의 안정성을 유지하기 위하여 세 개 이상의 등간격으로 배열된 3각형 또는 4각형의 날개가 부착되어 있다. 한편, 기체를 표적까지 추진시키는 장치로는 로켓모터(Rocket motor)가 널리 사용되고 있다. 본 절에서는 유도무기의 추진기관인 로켓모터의 구조와 성능에 대해 설명하도록 한다. 로켓 모터에 사용되는 추진제는 액체 , 고체 그리고 복합 추진제 등이 있다. 그러나, 유도무기의 추진에는 일반적으로 고체 추진제가 널리 사용되고 있으므로 고체 추진제를 사용하는 로켓 모터의 성능에 대해서 알아본다.

2.6.1 로켓 모터의 구조

로켓모터는 탄두를 표적까지 추진하기 위한 장치로서 그림 2.15에서 보는 바와 같이 추진제, 연소실, 노즐, 점화기로 구성되어 있다.

추진제는 니트로셀룰로오스에 니트로글리세린을 약 30~40% 혼합한 동질 추진제와 연료와 산소를 혼합시킨 이질 추진제 등이 사용된다. 로켓의 추력은 추진 가스의 배출에 의해 발생하므로 로켓에 사용되는 추진제는 화포의 추진제와 마찬가지로 폭발하지 않고 연소실내에서 고온가스나 화염에 노출된 표면으로부터 일정한 연소율로 연소되어야 한다. 연소표면에서 추진제의 표면에 수직한 방향으로 연소되는 비율을 연소율이라고 하는데 이는 다음과 같은 식으로 표시한다.

여기서, r는 연소율, P_c는 연소실의 압력이며, a와 n은 각각 실험에 의하여 결정되는 추진제 특성상수이다. 로켓 모터의 추력 중에서 운동량 변화율에 의해 발생하는 운동량 추력은 연소가스의 배출속도와 질량 유동률을 곱으로 표시된다. 그러므로 주어진 초진제로부터 높은 추력을 얻기 위해서는 질량 유동률을 증가시켜야 하며, 질량 유동률의 증가를 위해서는 높은 연소율을 가져야 한다.

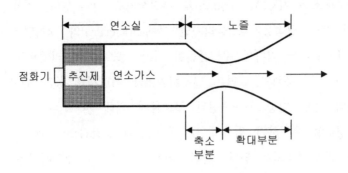

그림 2.15 로켓 모터의 구성

$$r = a P_c^n \tag{1}$$

연소율의 조정은 그림 2.16과 같이 추진제의 약립 형태를 변화시키거나 약립에 연소 지연물질을 부착하여 연소 표면적을 제한하는 방법이 사용된다. 연소 지연물질을 사용하여 연소 표면적을 제한하는 방법의 연소를 제한 연소라 하고, 연소 지연물질이 없는 상태를 비제한연소라 부른다. 약립의 형태는 연소 표면적을 변화시킴으로써 연소가스의 압력 변화를 발생한다. 그림 2.17은 약립의 형태에 따라 연소시간과 연소실 압력의 관계를 나타낸다.

연소실은 추진제의 연소에 의해 발생되는 고온 고압가스를 저장하는 압력용기로서 연소가스의 압력과 열응력에 충분히 견딜 수 있는 강도를 유지해야 할 뿐만 아니라 로켓 중량을 최소화할 수 있는 재질로 제작되어야 한다. 노즐은 연소실의 후미에 부착되고 이를 통해 연소가스가 배출되어 추력을 얻게 된다. 그러므로 노즐은 높은 배출속도를 발생시킬 수 있는 축소-확대 형태를 가지며, 높은 온도와 배출가스에 의한 부식저항을 견디기 위한 흑연 라이너를 부착하다. 추진제의 연소개시를 위한 점화기에는 불꽃점하 방식과 충격점화 방식이 있으며, 도폭관이나 소량의 흑연화약으로 추진제에 연결되어 있다.

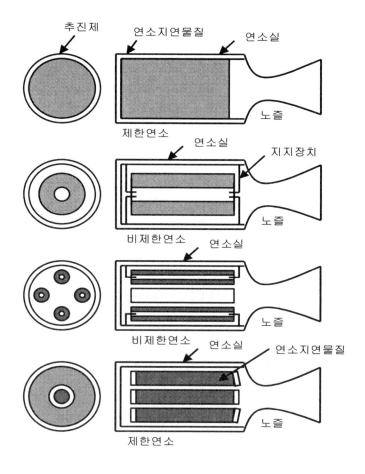

그림 2.16 대표적인 고체 추진제의 약립 형태

2.6.2 로켓 모터의 성능

로켓 모터는 고온 고압의 연소가스를 단열적으로 팽창시켜 화학에너지를 운동
에너지로 변환시킴으로써 추력을 발생시키는 에너지 변환장치이다.

로켓 모터의 성능은 추력으로 나타낼 수 있다. 본 절에서는 추력을 계산하는 과
정을 설명하고, 윗 식에서 설명한 연소율과 추력의 관계, 그리고 비역적에 대하
여 알아본다.

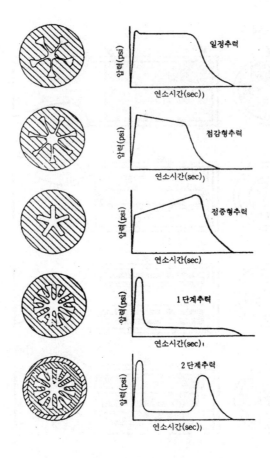

그림 2.17 약립 형태에 따른 압력-시간 관계의 변화

로켓 모터에서 발생하는 추력은 운동량 추력과 압력차에 의한 추력의 대수합으로 나타낸다.

$$F = V_e \frac{dm}{dt} + A_e(P_e - P_a) \tag{2}$$

식 (10.2)에서 F는 추력이고, 오른쪽의 첫 번째항은 운동량 추력이고, 두 번째항은 압력 추력이다. 운동량 추력은 노즐 출구에서의 배출가스 속도 V_e와 노즐을 통해 배출되는 연소가스의 질량 유동률과의 곱으로 계산하며, 압력 추력은 노즐 출구의 압력 P_e와 대기압력 P_a의 차이에서 노즐 출구의 단면적 A_e를 곱하여 구한다.

이 때 출구 압력이 대기압과 같은 경우를 최적팽창이라 한다.

운동량 추력의 계산을 위해서는 노즐 출구에서의 배출가스 속도와 연소가스의 질량 유동률을 구해야 하며, 이는 에너지 보존법칙을 이용한다. 에너지 보존법칙으로부터 추진제의 단위질량당 발생하는 에너지 중에서 연소시고 노즐 출구에서의 온도차에 의한 에너지는 각각의 지점에서 유동하는 연소가스의 속도에 의한 에너지와 같다고 가정할 수 있다.

$$C_p(T_c - T_e) = \frac{1}{2}(V_e^2 - V_c^2) \tag{3}$$

여기서, C_p는 정압비열, 첨자 c는 연소실, e는 노즐의 출구를 나타낸다. 정압비열은 열역학적으로 비열비 및 기체상수와 다음과 같은 관계가 성립한다.

$$C_p = \frac{\gamma R}{\gamma - 1} \tag{4}$$

이 때, γ 는 정압비열을 정적비율로 나눈 비열비이고, R는 일반 기체상수를 추진제 연소가스의 평균 분자량으로 나눈 기체상수이다. 한편, 등엔트로피 과정으로부터 온도(T), 압력(P), 비체적(v)의 관계는 다음과 같이 나타낼 수 있다.

$$\frac{T_e}{T_c} = [\frac{P_e}{P_c}]^{\frac{\gamma-1}{\gamma}} = [\frac{v_c}{v_e}]^{\gamma-1} \tag{5}$$

식 (3), 식 (4) 및 식 (5)로부터 노즐 출구에서의 배출가스 속도는 연소실에서의 연소가스 속도를 무시할 때 다음과 같이 된다.

$$V_e = \sqrt{\frac{2\gamma R T_c}{\gamma - 1}[1 - (\frac{P_e}{P_c})^{\frac{\gamma-1}{\gamma}}]} \tag{6}$$

연소가스의 질량 유동률은 질량 보존법칙으로부터 노즐 목의 단면적, 유동속도, 비체적과 다음과 같은 관계가 성립된다.

$$\frac{dm}{dt} = \frac{A_t V_t}{v_t} \tag{7}$$

식 (7)에서 비체적 (v_t)는 식 (5)의 등엔트로피 과정의 관계식과 이상기체 상태방정식을 이용하고, 노즐의 출구를 나타내는 첨자 e를 t로 치환함으로써 연소실과 노즐목의 관계를 나타낼 수 있다.

$$\frac{1}{v_t} = \frac{P_c}{R\,T_c}\left(\frac{2}{\gamma+1}\right)^{\frac{1}{\gamma-1}} \tag{8}$$

한편, 노즐목에서의 연소가스 배출속도 V_t는 식 (6)으로부터 노즐 출구의 압력을 노즐목에서의 압력으로 변환한 다음 등엔트로피 관계식을 이용하여 구한다.

$$V_t = \sqrt{\frac{2\gamma R\,T_c}{\gamma+1}} \tag{9}$$

그러므로 연소가스의 질량 유동률은 식 (8)과 식 (9)를 식 (7)에 대입하여 구한다.

$$\frac{dm}{dt} = A_t P_c \left(\frac{2}{\gamma+1}\right)^{\frac{1}{\gamma-1}}\sqrt{\frac{2\gamma}{(\gamma+1)R\,T_c}} \tag{10}$$

따라서, 로켓 모터에서 발생하는 추력은 식 (6)과 식 (10)을 식 (2)에 대입하여 계산할 수 있으며, 이를 정리하면 다음과 같다.

$$F = A_t P_c\sqrt{\frac{2\gamma^2}{\gamma-1}\left[\frac{2}{\gamma+1}\right]^{\frac{\gamma+1}{\gamma-1}}\left[1-\left[\frac{P_e}{P_c}\right]^{\frac{\gamma-1}{\gamma}}\right]} + A^e(P_e - P_a) \tag{11}$$

식 (11)은 추력을 계산하는 데 널리 사용되는 식이며, 이는 추력계수 (C_F)를 다음과 같이 정의하여 나타내기도 한다. 일반적으로 추력계수 (C_F)의 값은 1.2~1.8 사이에 존재한다.

$$(C_F) = \sqrt{\frac{2\gamma^2}{\gamma-1}\left[\frac{2}{\gamma+1}\right]^{\frac{\gamma+1}{\gamma-1}}\left[1-\left[\frac{P_e}{P_c}\right]^{\frac{\gamma-1}{\gamma}}\right]} + \frac{A_e}{A_t}\frac{P_e - P_a}{P_c} \tag{12}$$

$$F = C_F A_t P_c \tag{13}$$

추력을 구하는 다른 한 가지 방법에는 식 (1)의 연소율을 이용하는 것이 있다. 이 방법은 질량보존의 법칙으로부터 계산한다. 즉, 단위시간당 연소실에서 발생하는 연소가스의 질량은 연소된 추진제의 질량에서 노즐을 통해 배출된 연소가스의 질량을 뺀 것과 같으며, 이를 식으로 나타내면 다음과 같다.

$$\frac{d(\rho_g V_c)}{dt} = m_p - m_e \tag{14}$$

여기서, V_c는 연소실 체적을, ρ_g는 연소실 내에서 연소된 가스의 밀도이다. 점화천이, 진동연소 및 연소 종료시 등과 같은 비정상상태 연소를 제외한 정압과정의 정상상태 하에서는 식 (14)의 좌변은 무시할 수 있다. 연소실내에서의 질량 유동률은 추진제의 연소율의 함수로 다음과 같이 나타낼 수 있다.

$$m_p = \rho_p A_b \gamma \tag{15}$$

여기서, ρ_g는 추진제의 밀도이고, A_b는 추진제의 연소 표면적이며, γ은 연소 표면적에 수직한 방향으로의 연소율이다. 노즐 출구에서의 질량 유동률은 노즐 목에서와 동일하므로 식 (10)으로부터 구하면 다음과 같다.

$$m_e = A_t P_c \sqrt{\frac{\gamma}{R T_c} \left[\frac{2}{\gamma+1}\right]^{\frac{\gamma+1}{\gamma-1}}} \tag{16}$$

식 (16)은 연소가스의 온도, 기체상수 및 비열비 등의 열역학적 변수에 관계되는 노즐방출계수 C_D를 사용하여 다음과 같은 식으로 나타낼 수 있다.

$$m_e = C_D A_t P_c \tag{17}$$

이 때 노즐 방출계수 C_D는 식 (16)으로부터 다음과 같다.

$$C_D = \sqrt{\frac{\gamma}{R T_c} \left[\frac{2}{\gamma+1}\right]^{\frac{\gamma+1}{\gamma-1}}} \tag{18}$$

정상상태의 연소인 경우에 식 (15)와 식 (17)로부터 연소실의 연소가스 압력은 다음과 같이 쓸 수 있다.

$$P_c = \frac{\rho_p A_b \gamma}{C_D A_t} \tag{19}$$

따라서, 추진은 식 (13)과 식 (19)에 의하여 다음과 같이 쓸 수 있다.

$$F = \frac{C_F}{C_D} \rho_p A_b \gamma \tag{20}$$

로켓 모터의 성능은 식 (11)이나 식 (20)과 같이 추력으로 나타내지만, 통상 비역적으로 표시하기도 한다. 비역적 (I_{sp})은 단위 중량의 추진제가 단위추력을 발생시키는데 요구되는 시간(초)로 정의하며, 추력계수 및 방출계수와의 관계는 다음과 같다.

$$I_{sp} = \frac{C_F}{C_D g_o} \tag{21}$$

식 (21)에서 g 는 중력가속도이고, 추력계수와 방출계수는 각각 식 (12)와 식 (18)과 같다. 그러므로 비역적을 사용하여 추력을 구할 때는 비역적과 추진제의 질량 유동률과 중력 가속도를 곱하여 계산한다.

제3장 유도무기의 분류

3.1 개요

3.1.1 특수무기의 분류

가. 대전차유도무기 : 토우, 메티스

나. 대공포 : 발칸(견인, 자주), 오리콘, 비호

다. 대공유도무기 : 천마, 신궁, 미스트랄, 이글라, 재브린

라. 지대지무기 : 130밀리 다련장 로켓, 227밀리 다련장 로켓 어네스트 죤, 현무

마. 레이더 장비 : 저고도탐지레이더(TPS-830K, 레포터) 표적탐지레이더(AN/TPQ-36, 37)

바. 기 타 : 지역방호장비(램파트, 대공감시레이더, 경고등)

3.1.2 유도탄 구분

가. 사거리에 따른 구분

    1) 단(短)거리 미사일(Short Range Missile) : 사정거리 100km이내

    2) 중(中)거리 미사일(Medium Range Missile) : 사정거리 1,500km

    3) 중(重)거리 미사일(Intermediate Range Missile) : 사정거리 2,400km

    4) 장(長)거리 미사일(Long Range Missile) : 사정거리 2,400km이상

나. 용도에 따른 분류

1) 전략 미사일(Strategy Missile)

선제공격 능력보다 억제 전략상 보복공격 능력에 비중을 두는 경향이 있으며, 전략목표(사정거리 2,400km이상)를 공격 대상으로 하는 전략 미사일(ICBM)

2) 전술 미사일(Tactics Missile)

전쟁 발발시 적의 깊은 종심에 강력한 타격을 주는 것을 목적으로 사용하며 전술목표 사정거리 1,500km미만의 단거리 및 중거리를 공격한다.

> ※ 대륙간 탄도미사일(Inter Continental Ballistic Missile)
> 대양을 횡단하여 대륙간 사격이 가능한 사정거리 5000마일 이상의 전략 탄도미사일

다. 설치장소와 목표에 따른 분류

1) 지대지 미사일 (SSM : Surface-to-Surface Missile)
2) 지대공 미사일 (SAM : Surface-to-Air Missile)
3) 지대잠 미사일 (SUM : Surface-to-Underwater Missile)
4) 공대공 미사일 (AAM : Air-to-Air Missile)
5) 공대지 미사일 (ASM : Air-to-Surface Missile)
6) 공대함 미사일 (AUM : Air-to-Underwater Missile)
7) 잠대지 미사일 (USM : Underwater-to-Surface Missile)
8) 잠대공 미사일 (UAM : Underwater-to-Air Missile)
9) 잠대잠 미사일 (UUM : Underwater-to-Underwater Missile)

라. 비행방식에 따른 분류

1) 탄도 미사일(Ballistic Missile)

비행궤도가 포병탄의 탄두가 비행하는 것과 같이 중력장 내에서 포물선을 그리면서 비행하는 형태의 탄도로 날아가는 유도탄이다. 비행하는 탄도는 후미날개, 자이로스코프, 가속도계, 레이더 등의 도움을 받아 일

정한 위치까지는 유도비행을 하고 그 이후부터는 추진력이 중단되어 자유비행을 하면서 표적에 도달한다.

2) 순항 미사일(Cruise Missile)

순항 미사일은 무인 비행기가 정해진 항로를 자동항법장치로 날아가는 것과 같은 원리로 발사 전에 입력된 경로를 따라 관성유도나 레이더에 의한 능동형 지형대조, 또는 GPS 유도방식으로 일정한 속도와 고도를 유지하며 날아가다가 마지막 종말단계에서 적외선 영상, 레이더 또는 GPS에 의해 정밀 유도되는 것이며 정확도는 매우 높으나, 제트엔진으로 추진력을 획득하며 속도가 음속이하로써 탄탄탄에 비해 속도가 느리고 연료적재량의 제한으로 현존 유도탄의 최대 사거리는 2000km 이하이다.

> ※토마호크
> 최초 로켓모터로 발사하고 관성항법으로 유도되며, 이후 제트추진 및 GPS 또는 지형대조 방식으로 유도 ☞ 사거리 150~200km 정도의 함대함 또는 지대함 순항유도탄도 있다.

마. 추진방식에 따른 분류

1) 로켓추진(Rocket Propulsion)

연료와 산화제가 모두 로켓 내부에 장치된 것으로 혼합 연소시 발생되는 가스를 노즐(Nozzle)로 분사 시켜 추진한다.
- 장점 : 공기가 희박한 대기권 외부에서도 비행가능
- 단점 : 연료 소비율이 높아 연소시간이 매우 짧음

2) 제트추진(Jet Propulsion)

미사일 내부에는 연료만 있고 산화제로는 공기 중의 산소를 이용하여 연료를 연소시켜 추진력을 얻는 방식이다.
- 엔진의 형태에 따라서 터보제트(Turbo Jet), 펄스제트(Pulse Jet)램제트(Ram Jet)로 구분된다.

바. 연료 형태에 따른 미사일(Missile)분류

1) 액체 연료 미사일

알코올과 액체산소, 캐러신과 액체산소 등의 연료와 산화제를 액체 형태로 각각의 방에 저장, 필요시 혼합 연소시켜 추진력을 발생한다.
- 장점 : 연료, 산화제를 공급 밸브를 통해 용이하게 조정할 수 있으므로 장시간 연료지속 및 연료조정 용이
- 단점 : 장치가 복잡하고 액체산소의 온도가 매우 낮아서($-183℃$) 취급곤란

2) 고체 연료 미사일

연료와 산화제를 고체화하여 알맞은 형태로 만들어 생성한다.
- 장점 : 연소장치 구조 간단, 고장율이 낮으며 취급용이
- 단점 : 연소가 시작되면 연소중지 제어가 곤란하고 연소시간이 짧다.

> ※ 발전추세
> 혼합형(Hybrid Type) 연료를 사용하는 방식으로 발전되는 추세이다

사. 유도방식에 따른 미사일(Missile)분류

1) 예조방식(Pre-Setting Method)

발사 전에 미리 결정되어 있는 탄도를 따라 비행하도록 유도되는 방식
- 장점 : 방해전파(放害電波) 영향 무
- 단점 : 발사 후 조정 불가

2) 천측방식(Celestial Guide)

인공위성 GPS 에 의한 유도

3) 관성 유도방식(Inertial Guide)

관성유도는 어떤 질량을 가진 물체가 고속으로 회전 시 회전축이 항상 일정한 방향을 유지하려는 원리 즉, 자이로(Gyro)의 성질을 이용한 기술로서, 미사일 자체에서 미사일의 위치와 속도를 측정, 목표에 도달하

는 방법

※ 관성유도의 3단계
  - 항해(Navigation) : 임의의 좌표계로부터 측정된 자료를 이용, 이를 계산하여 현재의 위치, 속도 측정
  - 유도(Guidance) : 현재의 위치나 속도를 기준으로 지정된 목표에 도달하기 위한 방향 지시
  - 제어(Control): 유도를 위한 계산결과에 의해 지시된 방향으로 지향

4) 지령 유도방식(Command Guide)

목표, 목표 추적장치, 유도탄 위치의 3점 유도방식

- 유도신호 전송 방식

  유선유도(Wire Guide), 무선유도(Radio Guide)로 구분

- 수동식 조준선 지휘유도방식

  (Manual Command to Line of Sight System)

- 반자동 지령유도방식

  (Semi-automatic Command to Line of Sight System)

5) 레이더 유도(Radar Guide)방식

레이더 빔에 유도신호 정보를 실어유도탄으로 전송

- 빔 유도방식(Beam Riding System): 전자파 빔을 표적에 발사
- 디퍼런셜 트래킹 방식(Differential Tracking System)

6) 수동 지령 유도방식

추적자에 의해 목표와 유도탄이 추적되고, 동시에 유도신호를 전송하여 유도하는 방식 (예) 1세대 대전차유도무기(사거, 수성포)

7) 반자동 지령 유도방식

추적자가 목표를 가시장치로 정확히 추적하면, 유도탄과 조준선의 편차가 자동적으로 추적되어 유도신호가 발생되고 유도신호를 유도탄으로 전송하여 유도하는 방식 (예) 2세대 대전차유도무기(토우, 메티스-엠)

8) 빔 유도방식

빔 유도방식은 지상 레이더 또는 레이저빔이 목표를 지시하고 유도탄 내부의 수신 장치가 빔을 받아 레이저 빔 중앙으로 유도

아. 대공유도탄의 유도

1) 호밍유도

호밍유도란 미사일에 내장된 탐색기(Seeker)에 의해서 표적을 탐색하고 포착하여 추적하는 방식으로써 능동호밍과 수동호밍 방식으로 구분된다.

가) 능동 호밍유도(Active Homing)

유도탄이 표적을 추적하기 위한 빔을 발사하고 표적 반사파를 탐지하여 표적의 방향과 위치를 식별하고 유도하는 방식이다.

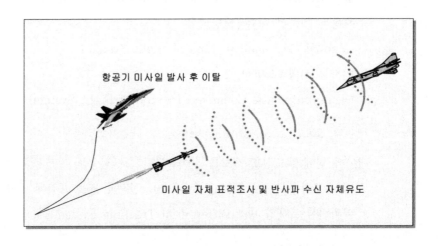

항공기 미사일 발사 후 이탈

미사일 자체 표적조사 및 반사파 수신 자체유도

그림 3.1 능동 호밍 유도

나) 반능동 호밍유도(Semi-Active Homing)

항공기, 또는 지상 유도탄 발사기지에서 표적에 레이더 또는 레이저 빔을 발사하고, 표적에서 반사되는 에너지를 수신하여 유도되는 방식이다. (예 : 호크)

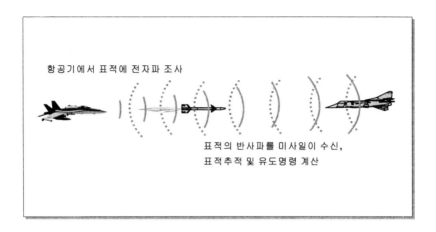

그림 3.2 반능동 호밍 유도

다) 수동 호밍유도(Passive Homing)

표적에서 발생되는 에너지를 유도탄이 감지하여 추적하는 방식(미스
트랄, 이글라, 신궁, 사이드와인더)

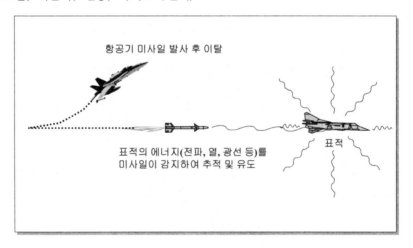

그림 3.3 수동 호밍 유도

2) 지령유도(Command Guidance)

유도탄. 외부에서 모든 정보를 획득하여 유도신호를 산출하고 유도탄에

지령을 전달하면 유도탄은 이 신호에 따라 움직이는 방식

가) 비시선 지령유도(Command off the Line of Sight Guidance)

　고고도 대공유도무기체계에서 사용하는 방식으로써 유도탄 추적레이더와 표적추적 레이더로 구분 운용하고 표적에 대한 원거리탐지와 식별이 요구된다. (나이키)

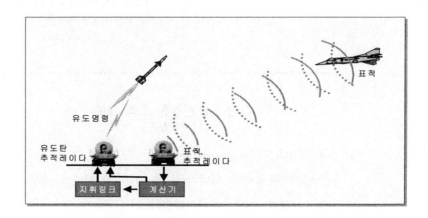

그림 3.4 비시선 지령유도

나) 시선지령유도(Command to the Line of Sight Guidance)

　㉮ 유선 시선지령유도

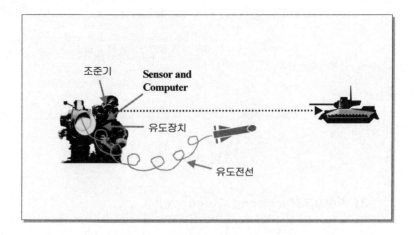

그림 3.5 유선 시선지령유도

유도탄 발사 후 사수, 또는 발사기에서 표적을 조준하여 유도탄
의 탄도오차와 표적 조준선을 비교하여 유선을 통해 유도신호
를 보내는 방식(토우, 메티스, Sagger, 밀란)

④ 무선 시선지령유도

유도신호를 무선전파로 보내는 방식(재브린, 천마)

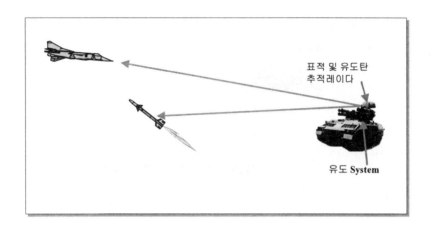

그림 3.6 무선 시선지령유도

다) 빔 편승유도(Beam Riding Guidance)

레이저 빔이 가리키는 방향을 따라 유도

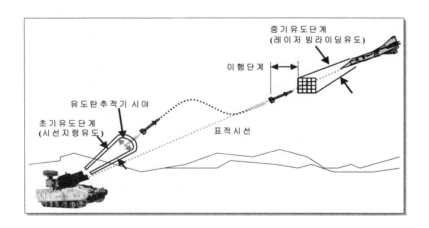

그림 3.7 빔 편승유도

라) 미사일 경유 추적(TVM : Track Via Missile)

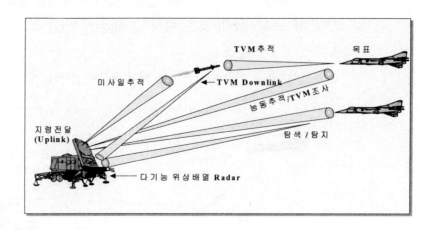

그림 3.8 미사일 경유 추적

㉮ 개요

TVM 유도방식은 패트리오트 지대공 유도무기체계에서 사용되는 방식으로써 종래 지상에서 발사되는 레이더 빔을 호크탄두 내부 레이더 안테나가 수동으로 수신하여 빔의 방향을따라 유도되는 방식이었으나, 고속으로 이동하는 표적에 대한추적 시 정확도면에서 문제가 있었다. 패트리어트는 다기능레이더를 이용하여 항공기를 추적하며 실시간으로 항공기와유도탄의 탄도오차와 예상 요격지점 관련 데이터를 산출하여유도한다.

㉯ 초기유도

다기능 레이더는 대공감시, 표적탐지 및 추적, 유도신호 송신등의 다양한 기능을 수행한다. 초기유도는 예상 요격지점으로유도탄이 발사되고 레이더 빔에 실린 유도신호를 받아 유도탄이 대략적인 방향으로 유도된다. 이러한 기능은 유도탄 탄두부에서 항공기의 레이더 반사파가 수신될 때까지 계속된다.

㉰ 종말유도

다기능 레이더가 비추는 빔이 항공기에서 반사되면 유도탄이 수
신하여 레이더로 송신한다. 레이더는 항공기에 대한 유도탄의
추적 오차와 예상요격 지점에 대한 탄도수정 계산 후 유도신
호를 유도탄으로 전송한다. 이 유도방식은 절차가 다소 복잡
한 면이 있지만, 지상에서 3차원 레이더를 이용하여 유도탄과
항공기의 속도, 방향 및 위치관련 데이터, 유도탄의 조준선
오차 등 모든 자료를 실시간으로 추적하고 탄도수정 신호를
계산함으로 호크, 나이키 체계에 비해 정확도가 크게 향상되
었다.

3.2 대전차 유도무기

대전차직사포는 운반이 용이하지 않으며 2,000m이상의 사거리에서는 정확성이
보장되지 않는다는 두 가지 제한사항이 있다. 대전차포의 최대의 장점은 운동에
너지탄, HESH탄, HEAT탄의 세 가지 탄종의 세 가지 탄동을 모두 활용할 수
있다는 점이다. 그러나 정확한 사거리측정, 조준의 부정확, 바람의 편류와 목표
이동속도의 정확한 예측 등의 요소에 의하여 사거리를 제한받게 된다. 대전차포
는 전술상의 요구에 의하여 궤도차량에 탑재되어 고도의 기동성을 확보하게 되
었다. 이 예가 구서독의 Jagd- panzer 와 M113 차체를 이용한 미국의 화력지
원 전투차량(fire support combat vehicle)이다.

3.2.1 대전차 무기의 종류

106㎜무반동포와 영국의 웜배트(Wombat) 120㎜무반동포는 중량을 크게 감소시
켰으나, 사거리 역시 감소되었으며, 기동성을 확보하기 위한 경량화에 만족할
만한 결과를 가져오지 못하였다. 대전차포의 중량이 무거워짐에 따라 가벼운

HEAT탄을 이용하게 되었다. 이것이 바로 우리가 이미 알고 있는 경대전차무기(LAW : Light Anti-Tank Weapons)이다.

경대전차무기는 로켓원리를 이용한 로켓포와 무반동방치를 이용한 무반동포의 두 가지로 나눌 수 있다. 전자의 예가 미국의 66㎜ M72 LAW, 러시아의 RPG-7, 프랑스의 아필라스(APILAS)등이며, 후자의 예로는 스웨덴의 84㎜칼구스타프(Carl Gustav)FV 550, 미국의 106㎜ M40A1등을 들 수 있다. 경대전차무기의 설계상의 문제는 전차의 장갑을 관통시키기 위한 대형탄두와 충분한 거리까지 추진시킬 수 있는 로켓 모터를 가진 대전차무기를 생산하는 것이다. 또한 사용자에게 위협을 주지 않고 단독으로 안전하게 조작할 수 있도록 경량으로 설계해야 한다는 것이다. 이런 문제는 성형장약탄두의 직경을 80~90㎜로 제한하고 있기 때문에 이에 따라서 전차의 전면장갑을 관통할 수 있는 기회가 감소되며, 복합장갑재료의 출현으로 인하여 성형장약탄두의 효과가 감소되는 경향이 있다. 대탄두를 사용할 것인가, 소탄두를 사용할 것인가는 인력의 융통성과 교리상으로 각개병사에 어떤 개념이 적합한가에 달려 있다.

또한, 후폭풍의 영향을 감소시키면서 건물의 실내에서 경대전차무기를 운용할 수 있는 방법이 연구되고 있다. 이것은 발사기 후방에 후폭풍을 흡수할 수 있는 장치를 설치하는 것으로서, 가능하지만 중량을 증가시키기 때문에 각개병사가 견착식으로 사격할 수 있는 경대전차무기를 개발하는 것은 어려운 문제이다. 그러나, 시가전상황에서 접근해 오는 전차를 격퇴하는 데 매우 유용한 개념인 것이다. 기계화전에 있어서 보병은 적의 장갑차량에 대하여 공격할 수 있는 능력을 보유하여야 한다. 현재로서는 복합장갑으로 방호된 전차에 대한 정면공격은 어렵지만, 측면공격, 혹은 장갑차와 기계화보병 전투차량(MICV : Mechanized Infantry Combat Vehicle)에 대하여는 경대전차무기가 효과적인 전투능력을 발휘할 수 있다. 이렇게 함으로써 기계화부대는 상당한 위험이 수반되는 작전을 성공적으로 이끌 수가 있다.

경대전차무기는 제한된 최소사거리를 갖지만 대전차포보다 유효사거리가 김 대전차 유도무기(anti-tank guided weapons)와 병용하여 사용된다.

제2차 세계대전의 종반에 독일은 1,000m정도의 사거리를 갖는 XH7경대전차유도무기를 보편화하기에 이르렀다. 그 영향은 1955년에 소개된 프랑스의 SS10대전차

유도무기와 1958년에 첫 선을 보인 구소련의 스내퍼(Snapper)의 출현을 보게 되었다. 대전차 유도무기는 대전차포에 비하여 중량과 사거리면에서 우월성을 보여 준다. 그러나 유도무기에 있어서 사거리의 증가는 큰 모터를 요구하기 때문에 미사이의 중량을 크게 만드는 경향이 있다.

대부분의 미사일의 추진계통은 요구되는 비행속도를 내기 위한 부스트 모터(boost motor)와 속도를 유지하기 위한 서스테이너 모터(sustainer motor)로 나뉘어져 있다. 따라서 미사일의 속도는 부스트 모터에 의하여, 그리고 사거리는 서스테이너 모터의 크기에 의하여 좌우된다.

3.2.2 대전차 유도무기의 발달과정

대전차 유도무기는 발달과정에 따라서 제1세대, 제2세대, 제3세대로 각각 나눌수 있다. 제1세대 미사일에서는 그림 3.9에서 보는 바와 같이 수동식 지령유도방식(MCLOS : Manual Command to Line of Sight System)을 사용한다. 소련의 새거(Sagger), 영국의 비질란트(Vigilant)와 프랑스의 SS11은 모두 이 방식을 이용한다. 이 방식은 조작자가 유선유도방식을 이용하여 동시에 조준경을 통하여 목표를 추적하고 수동으로 미사일을 조작하여야 하는 것이다.

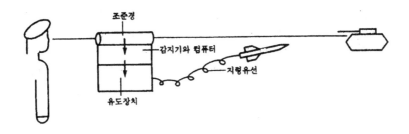

그림 3.9 수동식 지령유도방식

제1세대 미사일의 제원은 표 3.1와 같다. 제2세대 미사일은 반자동 지령유도방식(SACLOS : Semi-Automatic Command to Line of Sight system)을 이용한다. 미국의 Dragon, TOW, 프랑스와 독일이 공동 개발한 HOT, Milan등이 속하며 러시아도 AT-4M, AT-5, AT-6, AT-8을 배치하고 있는 것으로 알려졌다. 그림 3.10 에서 보는 바와 같이 조작자는 조준경을 통하여 목표를 추적하면 자동적으로 컴퓨터에 의하여 유도신호가 유도탄으로 보내져 목표에 유도되게 된다. 제1세대 및 제2세대 미사일에는 조작자가 미사일을 목표에 유도하는 동안 계속 집중하여야 하므로 정신적으로 압박감을 주거나 주의가 산만하게 되면 실패할 우려가 있기 때문에 미사일의 속도를 증가시켜 비행시간을 줄여야 한다. 그러나 이것은 중량의 증가라는 또 다른 측면에서 고려되어야 한다. 그림 3.11 은 TOW 대전차 미사일을 나타낸 것이다.

표 3.1 제1세대 대전차미사일 제원

국 명	명 칭	길이 (cm)	직경 (mm)	중량(kg)		최대속도 (km/h)	사 거 리 (m)	관통력 (mm)	추진방법
				발사기	탄두				
프랑스	SS-10	85	165	14.8	5.50	285	300~1,500	–	2단고체
	Entac	82	150	12.5	4.00	305	400~2,000	650	〃
	SS-11	120	160	30.0	–	580	500~3,000	660	〃
	SS-12	187	210	75.0	–	685	6,000	600	〃
독 일	Cobra	95	100	10.3	2.70	300	400~2,000	500	1단고체
	Manba	85	120	11.2	2.70	–	300~2,000	500	–
일 본	KAM-3D	95	120	15.7	1.90	310	350~1,800	500	2단고체
스웨덴	BANTAM	85	110	7.5	–	300	300~2,000	–	〃
영 국	Vigilant	107	110	14.8	5.00	580	200~1,375	580	〃
스위스 이탈리아	Mosquito	111	120	14.1	4.00	330	360~2,300	660	〃
소 련	Shappe(AT-1)	113	140	22.2	5.25	320	370~2,300	350	–
	Swatter(AT-2)	113	132	26.5	–	–	600~2,500	–	–
	Sagger(AT-3)	88	120	11.3	–	–	500~3,000	450	2단고체

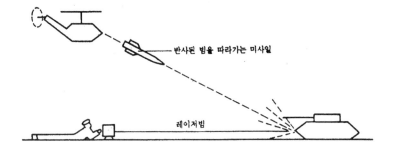

그림 3.10 반자동 지령유도방식

그림 3.11 TOW 대전차 미사일

조작자의 측면에서 가장 이상적인 것은 방사 후 망각방식(fire and forget)이 될 것이다. 이것이 제3세대 미사일의 개념이다. 여기서는 그림 3.12에서 보는 바와 같은 반능동 호밍유도방식(semi-active homing system)을 이용한다. 이 방식은 관측자가 지상목표를 추적할 경우 목표가 이동하는 차량이나 나무, 건물 사이에 있을 때에는 공중에서 항공기를 추적하거나 비교적 평평한 해면상의 함선을 추적하는 것만큼 용이하지는 않다.

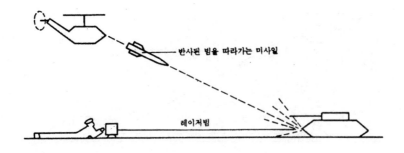

반사된 빔을 따라가는 미사일

레이저빔

그림 3.12 반능동 호밍유도방식

또한 대부분의 대전차 유도무기의 유도는 열추적방식으로 이루어지기 때문에 그릇된 열원으로 유도되는 경우도 발생한다. 또한 레이더유도방식은 배후의 전파방해를 받는 목표를 식별하기 어렵다는 단점도 있다. 이런 문제를 해결하기 위하여 그림 3.12와 같이 레이저(laser)지시기를 이용한 반자동유도장치를 이용한다. 그리고 그림 3.13은 ATGW3 MR을 나타냈다.

그림 3.13 ATGW3 MR

제2세대 미사일의 제원은 표 3.2과 같다. 제3세대 미사일은 제1세대, 제2세대 미사일에 비해 신속하게 새로운 목표물과 조우할 수 있다는 장점을 가지고 있다. 즉 사격률을 높일 수 있다는 것이다. 그러나 호밍방식을 채택하기 때문에 제1세대, 제2세대 미사일에 비하여 가격이 수배에 달하며, 발사팀과 레이저 지시조작자간에 신뢰성 있는 통신시설이 요구된다는 단점이 있다. 제3세대 미사일의 제원은 표 3.3와 같다. 중량이 긴박한 문제가 되지 않고 휴대가 필요 없다면 큰 탄두와 더 큰 추진계통을 채택하여 더 큰 속도를 낼 수 있다. 장갑차량에 탑재된 사거리 4㎞정도의 것들로 영국의 스윙파이어(swingfire)등이 있다.

헬리콥터용으로는 더욱 사거리가 긴 미사일이 적합하다. 이 개념은 알제리아 내전시 동굴 속으로 미사일을 유도하려던 프랑스에서 도입된 개념이다. 현재 프랑스는 ACRA미사일을, 미국은 헬파이어(Hellfire), 토우(TOW)등을, 러시아는 스왜터(Swatter)와 스파이럴(Spiral)을 헬리콥터 발사용으로 사용하고 있다.

표 3-2 제2세대 대전차미사일 제원

국 명	명 칭	길이 (cm)	직경 (mm)	중 량(kg) 발사기	탄두	최대속도 (km/h)	사 거 리 (m)	관통력 (mm)	추진방법
영 국	Swingfire	106	170	37.0	–	–	150~4,000	–	2단고체
프랑스	Harpon	121	164	30.4	–	580	350~3,000	600	〃
불·독	Milan	77	103	6.6	3.0	720	26~2,000	850	〃
	HOT	128	143	22.0	6.0	1,010	75~4,000	800	〃
미 국	Dragon	74	–	6.3	–	–	26~1,500	920	1단고체
	TOW	117	152	28.0	3.6	1,000	65~3,750	925	2단고체
일 본	KAM-9	150	–	–	–	–	–	–	〃
소 련	Spigot AT-4	12	120	40		150~200	70~2,500	600	–
	Spandrel AT-5	120	135	11		250	100~4,000	500	–
	Spiral AT-6	–	–	–		–	5,000	–	–
	Saxhorn AT-7	–	–	–		200	50~1,000	–	–
	Songster AT-8	120	–	–		500	4,000	–	–

표 3.3 제3세대 대전차미사일 제원

국명	명칭	길이 (cm)	직경 (mm)	중 량(kg) 발사기	탄두	최대속도 (km/h)	사 거 리 (m)	관통력 (mm)	추진방법
미 국	Shillelah	114.0	150	27.0	–	–	3,000	–	1단고체
	Hellfire	162.5	175	24.0	–	–	7,000	1,090	–
	AAWS-M	–	–	–	–	–	–	–	–
프랑스	ACRA	125.0	142	26.0	–	1,800	3,000	–	–
이탈리아	Sparviero	138.0	130	16.5	4	–	75~3,000	–	2단고체
영·프·독	MR ATGW3 LR	–	–	–	–	–	1,000~4,000	–	–

대전차 유도무기는 대전차포, 전자포 및 경대전차무기(LAW)와 조합되어 광범위한 대전차방어를 제공한다. 적기갑부대의 제압은 장거리 대전차 유도무기로서 4,000m의 사거리에서부터 가능하다. 3,000m정도에서는 전차포와 대전차포가 배치된다. 2,000m정도에서는 휴대용 대전차무기가 유효하고, 1,000m정도에서는 1인조작용 미사일로써 제압이 가능하다. 500m사거리에서는 경대전차무기가 대전차 유도무기의 역할을 대신하여 매우 효과적으로 운용될 수 있다.

대전차 유도무기는 건물밀집지역에서는 제한된 사용이 불가피해지며, 40~50m 정도의 아주 짧은 거리에서는 전차에서 직접 발사될 수 있다. 50~200m사거리에서는 거의 이용되지 않으며, 시가지전투에서는 200m이상의 사거리에서도 별로 사용되지 않는다. 이런 경우에 차폐된 지점에서 경대전차무기(LAW)는 가장 효과적인 대전차무기이다. 그러나 대전차 유도무기와 경대전차무기는 보통 건물 내에서는 조작자에게 부상을 일으킬 위험이 있으므로 사용상 곤란한 단점이 있다.

장갑차량의 놀라운 사용증가로 대전차무기의 중요성이 강조되고 있다. 그래서 대전차무기의 성능은 점점 향상되어 가고 있다. 대전차미사일의 유도방식의 개선, 탄효력의 증대, 대전차무기의 기동성향상, 포구 초기운동에너지의 증대와 비행시간의 단축, 명중도의 향상 등 발전을 거듭해 오고 있다. 이러한 발전에 따라 대전차무기는 현재 사용 중인 전차를 거의 모두 파괴할 능력을 보유하게 되었다. 그러나 전차도 대전차무기의 공격에서 살아남기 위하여 새로운 장갑재료의 개발에 박차를 가하고 있고, 궤도를 보호하기 위해 장갑판(skirt)을 두르고, 포탑을 보호하기 위해 이중 장갑으로 장갑판 사이에 간격을 두게 하여 성형장약의 위력을 약화시키려는 노력을 하고 있다. 획기적인 새로운 장갑재료로 만든 전차가 출현되기까지는 현재의 대전차무기는 여전히 유효할 것이다.

3.3 지대지 유도무기

장거리의 정확성이 요구되는 표적에 대해서는 자유로켓을 대신하여 정교한 유도장치를 갖춘 지대지 유도무기(SSGW : Surface to Surface Guided Weapons)를 요구하게 된다. 지대지 유도무기는 대략 2,000㎞사거리를 기준으로 하여 전략미사일과 전술미사일로 구분된다.

지대지 유도무기는 재래식 탄두를 운반할 수도 있으나 고도의 정확성을 가진 지대지 유도무기는 20kT급, 130㎞사거리의 미 랜스(Lance)미사일과 50MT급의 러시아의 SS18과 같이 주로 핵탄두운반용으로 사용된다. 그러나, 전략목적상 수십 MT급의 핵탄두를 한 지점에 투하하는 효과는 감소하므로 최근에는 각각 1MT급의 다탄두 개별목표 재돌입장치(MIRV : Multiple Independently targeted Re-entry Vehicles)를 채택하는 경향이 짙다. 지대지미사일은 주로 관성유도장치로 유도되며, 이것에 대해서는 앞에서 설명한 바와 같다. 전략 혹은 전술 미사일로 사용되는 순항미사일은 관성유도방식 외에 지형등고선 대조기술(TERCOM : Terrain Contour Matching)로 기억시켜 놓은 항로상의 수치지형지도(DTM : Digital Terrain Map)를 이용하여 해발고도의 변화에 따라 진로를 수정하는 방식과 해발고도를 기준으로 하지 않고 마이크로파를 이용하여 지표면으로부터의 반사를 수신하여 그 방사율을 측정하여 위치를 알아내는 대지조합기술(Area Correlation Technique)인 DSMAC(Digital Scene Matching Correlation)방식 등을 사용하고 있다. 이 정확성은 미국의 순항미사일의 경우

12m정도의 편차로 목표에 유도될 정도로 우수하다. 미국의 핵탑재 순항미사일의 사거리는 2,500㎞이고 러시아의 '키친(kitchen)'공중발사 순항미사일의 사거리는 720㎞로 알려져 있다. 미국·러시아 양국은 지상, 항공, 해양 발사용 순항미사일을 보유하고 있다. 최근의 기술은 미국이 러시아에 앞서 있다. 세계 각국의 순항미사일의 제원은 표 3.4에 보인 바와 같다. 그림 3.7에 BGM 109-C Tomahawk 및 타격순간이다.

표 3.4 각국의 순항미사일

국 가	순항유도탄	형 식	사거리(km)	비 고
미 국	AGM-86B	ALCM	2,500	B-53 및 B52H 기어 탑재
	BGM-109	SLCM		함정 및 잠수함 탑재, Tomahawk
	BGM-109A	GLCM		200KT핵탄두, Tomahawk
	BGM-109B	SLCM	450	450㎏ HE탄두, Tomahawk
	BGM-109C	GLCM		BLU-97/B자탄, Tomahawk
	BGM-109G	GLCM		영국, 이탈리아, 벨기에 배치
독립국가 연 합	AS-15	ALCM	3,000	Bear-H, TU-95, Blackjack에 탑재
	SS-N-20	SLCM	8,300	Typhoon급 잠수함 탑재
	SS-N-21	SLCM	3,000	Acula, Sierra급 핵 잠수함
	SS-M-23	SLCM	8,300	잠수함 탑재

(a)

(b)

그림 3.14 BGM 109-C Tomahawk 및 타격순간

3.3.1 전략미사일

전략미사일기술은 선제공격능력보다는 억제전략상 보복공격능력에 더욱 관심을 보이고 있다.

만약에 동서 양진영이 상대방으로부터 결정적인 반격을 받지 않고 선제공격을 가할 수 있다면 상호평화공존은 존재하지 않기 때문이다.

러시아의 SS18과 미국의 MINUTEMAN Ⅲ와 같은 사거리 10,000마일 이상의 가공할 대륙간 탄도탄(ICBM)은 지하사일로(Silo)에 장치되어 있으나, 미사일의 타격능력이 정확해짐에 따라, 잔존능력은 더욱 불확실해진다.

이런 관점에서 볼 때는, 미국의 트라이던트(Trident) 1, 2, 러시아의 SS-N-20, SS-N-23, 프랑스의 M45/TN71과 영국의 폴라리스(Polaris)등의 잠수함 발사미사일은 확실한 잔존능력을 보유할 수 있기 때문에 억제효과가 크다 할 수 있다. 또한 이동식 발사대를 갖춘 사거리 4,000km의 SS20은 미국의 이동식 지상발사용 순항미사일 BGM-109G와 마찬가지로 2차 보복능력을 보유하게 된다.

그러나 문제는 유럽국가에 위협을 주고 있는 SS20에 비하여, 유럽에 배치되어 있는 미국의 지상발사용 순항미사일의 사거리가 짧다는 데 있다.

3.3.2 전술미사일

대표적인 전술지대지 미사일로는 랜스(Lance)와 ATACMS, 프랑스의 플루톤(PLUTON), 러시아의 SS-21등이 있다.

세계 각 국의 주요 전술 지대지미사일의 제원은 표 3.5과 같다. 그림 3.15에 Lance 미사일을 나타냈다. 적 제2세대의 타격 및 종심이 깊은 표적의 타격을 위해서는 최대사거리 40~70km이상의 사거리가 필요하나, 재래식 화포로는 사거리 달성이 불가능하므로 1950년대부터 제1세대 전술 미사일인 어네스트 존(Honest John), Frog-7 등이 대구경 자유로켓을 개발하여 군단급 및 야전군 전장지원용으로 운용하기 시작하였다. 전술 지대지미사일은 고폭탄보다는 소형 전술핵을 1차 목표로 운용하도록 되어 있다. 중성자탄두를 포함한 소형전술핵 탑재는 탄두위력으로 보상하는 의미가 있다.

표 3.5 각국의 전술 지대지미사일

국 가	순항유도탄	사거리(km)	비 고
미 국	Lance	80~130	액체추진기관, 단순관성유도
	ATACMS	100	고체추진기관
	Lance F-0		기본 랜스와 유사함
독립국 연 합	Scud-B	280	액체추진기관, 단순관성유도
	Scud-C	450	
	SS-23 (Spider)	500	Scud의 대체용, 이동식, CEP 200m, 고체추진기관, 관성유도
	SS-12 (Scaleboard)	900	INF조약에 의거, 폐기될 것임
	SS-21 (Scarab)	100	Frog-7의 대체용 장갑차량탑대 이동식
	SS-22 (Scaleboard)	900	SS-12의 대체용 INF조약에 의거, 폐기될 것임
프랑스	HADES	350	Pluton대체용, 이동식

그림 3.15 Lance 미사일

그러나 전자 및 자동제어 분야의 기술향상에 따라 발사대의 자동위치 측정, 포가구동 및 사격통제장치의 자동화를 이룩하여 무기체계의 생존성, 기동성, 정확성이 획기적으로 증대되고, 재래식 고폭탄두를 개량한 각종 분산탄두, 종말유도자탄 등이 개발됨으로써 비핵전상황하에서의 장거리 화력지원무기로서의 전술지대지 유도무기의 역할이 더욱 중요시되고 있다. 기술적인 면에서 볼 때 전술지대지 유도무기가 추구하는 바는 사거리 증대, 생존성 향상, 정확도 향상 및 탄두의 다양화로 집약될 수 있다.

가. 정확도 향상

파괴력과 관련된 점목표를 제압하기 위하여 고도의 탄착 정확도가 필요하며, 이를 위하여 고정 및 관성항법장치의 개발과 종말유도방식이 채택되고 있다. 관성항법장치는 정확도를 좌우하는 핵심부품으로, 기계식 관성항법장치, 링-레이저 자이로식 관성항법장치 등이 적용되고 있으며, 미국의 경우 GPS수신장치를 활용하여 정확도를 높이는 방안도 연구되고 있다.

나. 사거리 증대

적 공격무기의 사거리 밖에서 유도무기를 선제 발사할 수 있도록 추진기관의 성능을 개선하였고 신형의 고에너지 추진제 사용으로 로켓 모터의 무게를 감소시키고 있으며, 랜스(Lance)의 경우와 같이 종말유도자탄을 이용하여 표적 근처에서 분산된 자탄들이 각개표적을 강타하게 함으로써 사거리를 증대시키는 방법들이 적용되고 있다.

다. 생존성 향상

생존성 향상을 위하여 대부분의 전술 지대지 무기체계가 기동화 되어 있고, 적으로부터의 진지노출을 피하기 위하여 무연추진제가 개발되어 있으며, 기체표면재질의 스텔스화 추진으로 레이더로부터의 탐지를 불가능하게 하고 있다. 또한 기동성 향상을 위하여 수륙양용 발사대가 사용되고 있으며, 헬리콥터 등을 이용한 공중수송수단도 함께 강구되고 있다. 이와 같은 개념 이외에 탄의 장전 및 발사시간의 단축을 위한 사격통제장치의 자동화와 운용방법의 개선을 통하여 작전순발력 증대와 작전운용요원의 최소화를 위한 노력도 함께 진행되고 있다.

라. 탄두의 다양화

표적의 특성에 따라 다양한 탄두를 사용할 수 있도록 지표면 작동, 지표면 상공 10~20m사이에서 작동, 지하침투작동 등의 기능을 지닌 고폭탄두 (HE), 표적상공에서 자탄이 분산 낙하하는 분산자탄식 탄두, 대인 및 장갑 차용 겸용식 자탄인 DPICM, 감응반응식 자탄식 살포지뢰탄(FASCAM), 화학탄 및 핵탄두 등을 용이하게 장착할 수 있는 신형탄 등이 전술 지대지 유도무기의 탄두에 적용되고 있다. 또한 탄두의 종류에 따라 효과를 최대화시키기 위하여 작동위치를 정하는 장치로서 각종 기계식 및 전자식의 정밀근접신관과 지연신관의 개발이 이루어지고 있다.

3.4 지대공 무기체계

대공방어의 중요성은 이스라엘-아랍전쟁에서 크게 부각되었다. 욤 키푸르(Yom Kippur)전쟁 이전에는 이스라엘 공군기들이 중동의 하늘을 지배하였고, 그들의 지상군은 전장에서 신속하게 전진하였다. 그러나, 욤 키푸르전쟁때에는 이집트의 광범위한 대공방어체계는 이스라엘공군의 활동을 상당한 기간 동안 무력화시켰으며, 이스라엘 공군은 지상전투에서 시나이반도와 수에즈운하의 대공방어체계가 와해된 후에야 활동이 가능하였다. 걸프전 2일째인 1991년 1월 18일 미군은 이라크에서 날아온 스커드 미사일을 사우디·이란 공군기지 상공 5,000m에서 패트리어트(Patriot)미사일로 요격하는 장면을 공개함으로써 그 정확성을 입증하였다. 이 미사일시스템은 일단 목표물이 탐지되면 레이더화면을 지켜보고 있는 컴퓨터가 미사일 발사순간과 방향을 결정한다. 미사일이 발사대를 떠나 마하3의 속도로 항진하는 동안 지상레이더는 계속 전파를 보내고 방사신호를 접수하여 데이터를 전송한다. 지상컴퓨터는 순간적으로 공중과 지상에서 접수한 신호를 비교하고 항로수정신호를 보낸다. 패트리어트 미사일의 내장컴퓨터는 이를 접수하여 미사일의 항로를 조정함으로써 목표물에 명중시키는 것이다. 텔레비전을 통하여 공개된 장면에서 패트리어트 미사일이 움직이는 목표물과의 거리, 방향을 바꾸며 움직이다가 스커드 미사일을 격추하는 것을 보여 주었다.

이와 같이 초음속 및 저공 비행능력을 갖춘 공격용 전투기나 공격용 미사일에 대응하는 대공무기도 종래의 대공용 무기보다 다양하고 성능이 우수하며 신속 정확한 정보처리를 위하여 컴퓨터를 이용한 통제장치를 갖춘 정밀유도무기체계가 요구되고 있다.

3.4.1 대공방어체계의 요소

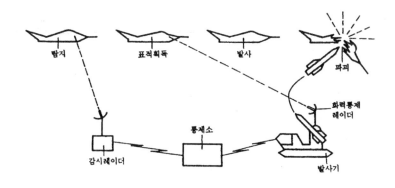

그림 3.16 대공방어체계

적기가 접근하게 되면 이것을 탐지하는 경보체계가 이룩되어야 한다. 이 체제는 탄도미사일 조기경보체계(BMEWS : Ballistic Missile Early Warning System)와 단순히 지상군에 이용될 수 있는 전술통제 레이더로 나눌 수 있다. 전술통제 레이더는 비교적 단거리용으로, 전선과 국경을 엄호하고, BMEWS레이더는 5,000㎞이상을 감시한다. 감시레이더는 적기의 내습을 감지하고 통제하는 정보를 제공하며, 지상기지에 경고해 주는 역할을 한다.

통제소(control center)는 사격단위의 준비태세를 명령하며, 충분한 정보가 접수되었을 때 사격단위에 표적을 할당하는 임무를 수행한다. 조기경보체계에서 가장 중요한 것은 신속성 있는 통신계통으로서 위성통신과 야전무선통신으로 이루어진다.

적기가 사거리범위 내에 있을 때 표적획득장치는 적기를 발견하여 추적한다. 표적추적은 발사통제레이더, 혹은 저고도에서는 광학장치나 텔레비전 카메라에 의해 수행되기도 한다. 적외선장치는 일부 미사일 추적에 사용되기고 한다.

대공방어체계의 마지막 요소는 미사일이며, 형태와 크기, 발사대에 따라 달라지며, 지상에서부터 15,000m범위까지 도달한다.

지대공 유도무기(SAGW : Surface to Air Guided Weapons)의 유도방식은 종속유도방식에 의해 수행되며, 이에 대하여는 앞에서 설명된 바와 같다. 지대공 유도무기는 고공요격용인 경우 저공요격용보다 복잡한 유도장치를 가지게 되며, 따라서 더욱 큰 추진장치를 필요로 하기 때문에 대형화된다.

3.4.2 고도에 따른 무기선택

나토(NATO)에서는 편의상 수직상으로 대공방어체계를 다음과 같이 구분한다.

가. 초저공 : 150m이하

나. 저 공 : 150~600m

다. 중고공 : 600~7,500m

라. 고 공 : 7,500~15,000m

마. 초고공 : 15,000m이상

초저공에서는 소화기까지 이용되지만, 통계적으로 지상공격기가 내습할 경우는 드물게 나타나고 있으며, 헬리콥터도 이착륙시를 제외하고는 소화기 사정권내에 있다고 하더라도 격추될 기회는 감소된다. 그러나 소화기는 적기의 조종사에게 사기를 위축시키는 충분한 역할을 하고 있다. 대공포에서 발사되는 예광탄은 더욱더 큰 효과를 발휘한다. 대공포의 능력을 향상시키기 위하여 구소련의 ZSU 23-4는 우수한 유도장치를 도입하였다. 2,500m까지는 광학유도장치로서 목표를 추적하고, 4문의 23mm포로써 분당 4,000발의 사격속도를 가질 수 있다. 『욤 키푸르』 전쟁보고서에 의하면 ZSU 23-4는 미사일 사거리범위 밖에서 이스라엘 공군기에 대하여 상당한 효과를 나타냈던 것으로 알려졌다.

서방측에서도 독일 등은 더욱 정교한 표적획득 및 유도장치로 된 35㎜ Gepard 대공포를 보유하고 있는데, 비록 사거리는 제한되고 있으나 여러 개의 표적에 대하여 신속하게 대응할 수 있다.

저공에서는 미국의 스팅거(Stinger)와 구소련의 SA-7(Grail)과 같은 적외선추적 휴대용 미사일이 이용된다. 이것은 제2세대 미사일로서 고성능이지만, 항공기엔진으로부터 나오는 열에 의해 추적이 가능하기 때문에 근접지원 항공기가 공격 후 통과할 때만 후미에서 사격이 가능하다는 단점이 있다.

영국의 블로 파이프(Blow Pipe)미사일은 제3세대 미사일로서 무선지령 및 광학 추적 유도방식을 채택하며 1982년 포클랜드전쟁에 배치되어 위력을 발휘하였다. 이 미사일은 스팅거 등과는 달리 공격해 오는 항공기를 공격할 수 있는 능력을 보유하였지만, 효율적으로 사용하기 위해서는 근접항공기에 대한 조속한 대비가 있어야 하기 때문에, 조작자는 열 추적미사일 취급자보다 많은 훈련을 필요로 하게 된다. 사거리는 3.5㎞, 고도 2,000m까지 운용이 가능하다. 휴대용 지대공 유도무기의 제원은 표 3.6에 나타난 바와 같다. 휴대용 지대공 미사일 Mistral을 나타냈다.

표 3.6 휴대용 유도무기의 제원

구분	STINGER (미국)	JAVELIN (영국)	MISTRAL (프랑스)	RBS-70 (스웨덴)
고도(km)	3.0	2.5	6.0	3.0
유효사거리(km)	0.7~5.5	0.5~5.0	0.3~6.0	0.5~5.0
속도(Mach)	2.0	1.4	2.6	1.6
유도방식	적외선, 자외선 혼용	반자동 시선 유도	적외선	레이저빔
중량(kg) 탄/시스템	13/15.7	11/24.3	24/26	15/84
신관	충격	근접, 충격	근접, 충격	근접, 충격

그림 3.17 휴대용 지대공 미사일(미스트랄)

중고공용으로는 여러 종류의 지대공 유도무기가 있다. 이것은 전술적으로도 지역방어 및 교량, 비행장과 같은 특정지역방어임무에 매우 적합하다.

지상군의 전진속도가 빠르거나 공격적 지연전을 수행할 경우 전방부대가 대공방어에 취약하므로 궤도차량에 탑재된 지대공 유도무기체계는 매우 유효할 것이다. 이와 같은 목적으로 영국은 궤도차량을 이용한 래피어(Rapier)미사일을 전술적으로 운용하는데, 고도는 3,000m, 사거리는 7㎞에 달하며, 레이더 및 광학유도방식으로 유도된다.

이에 해당하는 것으로서 구소련에서는 6륜차량에 탑재된 SA-8(Gecko)이 있으며, 고도 5,000m, 사거리는 12km까지 달한다.

래피어미사일과 성능 및 특성이 비슷한 것으로는 미국의 롤란드(Roland)미사일과 프랑스의 크로탈(Crotale)미사일 등이 있다. 중고공용 단거리 지대공 유도무기의 제원은 표 4-8에 보인 바와 같다. 고공파 초고공 유도무기는 가격이 더욱 상승되며, 전천후 작전능력과 ECM능력이 우수한 반자동레이더 지령유도나 반능동 호밍유도방식이 사용된다.

그림 3.18 Roland 미사일

표 3.7 중고공용 단거리 지대공 유도무기의 제원

구 분	US ROLAND (미 국)	RAPIER (영 국)	CROTALE (프랑스)	ADATS (스위스)
속 도(Mach)	5.5	3.0	3.6	5
유효사거리(km)	6.5	7.5	8.5	8
최대속도(Mach)	1.5	2.1	2.3	3.1
탐지거리(km)	15.3	10.5	20	20
유도방식	시선유도	시선유도	시선유도	시선유도 (레이저빔 편승)

러시아는 궤도차량에 탑재된 고도 13,000m의 SA-6(Gainful)과 고도 30,000m, 사거리 200km의 SA-5를 운용하고 있다. 미국은 중고공용으로 채패릴(Chapparal)을 배치하고 있으며, 고공 및 초고공용으로 호크(Hawk)와 나이키 허큘리스(Nike Hercules)가 있으나 미국, 서방 유럽국가와 일본 등이 호크

와 패트리어트(Patriot)로 대체하고 있으며 미국과 독일은 합동으로 AT(Advanced Tactical)패트리어트도 개발하고 있다. 대표적인 고공용 지대공 유도무기의 제원은 표 3.8과 같다.

그림 3.19 Patriot 미사일

표 3.8 고공용 지대공 유도무기의 제원

구 분	HAWK (미 국)	PATRIOT (미 국)	M-SAM	SAMP (프랑스)	BLOOD HOUND (영국)
고 도(km)	18	18.3			23
유효사거리(km)	40	75	30	25~30	80
속 도(km)	2.5	2.5		3.5	2.0
탐지거리(km)	110	120			
유도방식	반능동	지령유도 및 반능동	지령유도 및 반능동	지령유도 및 반능동	반능동

이 AT패트리어트의 개발목적은 TBM(Tactical Ballistic Missile), 순항미사일, 항공기 및 스탠드 오프 재머(Stand-off Jammer)에 대응하기 위한 것이며, 주요 변경내용은 탐지 및 추적레이더에 이중 TWT트랜스미터를 적용하고 내부소음감소를 위한 설계변경, 추진기관의 길이연장, TVM(Track Via Missile)유도방식

의 채택, K-band능동탐색기 구비 등이다. 더욱 발전된 것으로는 대륙간 탄도탄(ICBM)방어용의 세이프가드(Safeguard)체계가 있는데, 이는 장거리용의 스파르탄(Spartan)과 단거리용의 매우 빠른 스프린트(Sprint)로 구성되어 있다.

3.4.3 현황 및 발전추세

지상작전을 성공적으로 수행하기 위해서는 지상전투부대의 능력이 적을 압도하여야 하지만 적이 제공권을 장악한다면 지상전투능력을 발휘할 수 없을 정도로 적의 공중공격에 의해 타격을 입게 된다. 방공포병의 임무는 적의 항공기사 적의 지상부대를 지원하는 것을 감소시키고, 작전지역공중에서 적의 방해 없이 아군의 기동이 이루어질 수 있게 하고 적의 공중정찰이나 헬리콥터의 기동을 못하게 하는 데 있다. 이러한 임무를 수행하려면 현저하게 향상된 항공기의 성능에 대처할 수 있는 대공무기로 장비되어야 한다.

가. 융통성 있는 무기체계

적의 항공기는 종류가 많고, 공격대형, 공격방법, 방향도 다양하여, 이에 대항하려면 각 무기는 그 무기 특유의 제한특성을 가지고 있기 때문에 한두 종류의 대공무기로는 불가능하다.

대공화기의 무기체계는 목표가 어떠한 고도에서 오든지 이에 대항할 수 있고, 또 목표의 거리에 따라 이를 공격할 수 있게 짜여져야 한다. 그리고 엄호하여야 할 부대에 따라 화기를 적절히 배치하여 지원하는 데 지장이 없게 고려되어야 하고, 미사일과 화포를 적절히 배분하여 장비되어야 한다. 또한 현재 사용하고 있는 무기를 새로운 무기로 모두 바꿀 경우 양자간에는 작전 운용상의 특성에는 차이가 없고 보다 성능이 향상된 무기를 개발하여 장비하게 되는 것이다. 대공무기체계를 균형 있게 발전시키고 융통성 있게 운용하는 것은 초보적이면서도 가장 중시하여야 할 문제인 것이다.

나. 기동성 및 방호력 향상

방공부대는 피지원부대와 행동을 같이 하여야 하며 피지원부대가 장갑부대

이거나 기계화부대이면 이런 부대를 지원하기 위해서는 이와 동등하거나 보다 나은 기동력을 가져야 한다. 또 적은 자신의 항공기를 보호하고 상대방에게 보다 큰 피해를 주지 위해 개전 초기단계에 방공진지부터 공격해 올 것이다. 이러한 위협에 대처하는 방법은 기동성을 향상시켜 주진지에서 예비진지로 신속히 이동하여 적의 공격목표가 되지 않아야 한다. 비록 고정된 시설을 방어하는 방공부대일지라고 신속하게 진지를 변환할 수 있는 기동성이 요구된다. 그리고 전술적인 상황에 따라서는 공수도 가능하여야 하고 도하능력을 갖는 것도 고려되어야 한다. 이에 부가해서 적의 공중공격이나 지상의 화기로부터 방호될 수 있어야 한다. 이는 장갑판을 부착하여 적포화로부터 인원을 방호하도록 함과 동시에 가능하면 핵 및 화생방으로부터 방호되어야 한다. 이러한 기동력과 방호력을 갖기 위해 휴대용을 제외한 대부분의 대공무기체계가 자주화의 경향을 띠고 있다.

다. 전자전에 대한 대항능력과 피아 항공기의 식별능력 증대

대공무기의 사격통제방식은 광학방식만을 적용하고 있는 장비도 있지만, 대부분 레이더에 의해 목표를 탐지하고 추적하며, 컴퓨터에 의해 미래위치를 산출하여 발사하는 절차를 밟는다. 미사일 중에는 목표까지 비행하는 동안 지령을 보내어 명중되는 위치까지 유도하고 있는 것도 있다.

공격하는 항공기는 가장 적은 피해를 입으면서 상대방에게 타격을 주려고 한다. 그러기 위해서는 상대방의 레이더에 포착되지 않고, 만일 포착되었으면 상대방이 발사한 미사일에 맞지 않기 위해 유도신호를 방해하려 할 것이다.

월남전 당시 월맹측이 보유하고 있던 구소련제 SA-2, SA-3대공미사일에 의해 상당한 피해를 입은 미국은 갖가지 전자전방책(ECM)을 사용하여 이 대공미사일의 기능을 마비시켜 피해를 줄일 수 있었다.

대공무기에서 전자전에 대비한 방법으로 개발되어 사용되고 있는 실례를 찾아보면,

첫째, 목표추적 유도지령을 레이더에 의한 방식과 광학적 방식으로 상호변환해서 적용하는 것으로, 영국의 래피어(Rapier), 미국의 롤란드(Roland), 러시아의 SA-8, SA-6 등이 이에 속한다.

둘째, 사격통제에 있어서 전파를 사용하지 않는 방법으로, 주로 대공포에서 채택하고 있다.

셋째. 대전자전 방책의 향상으로 전자전에 대비하는 방법이다. 피아항공기의 식별능력(IFF : Identification of Friend or Foe)은 피아항공기가 같은 공동의 공간을 사용하고 있으므로 혼전상태에 이를 때 필요한 것이며, 피아의 식별능력이 없으면 실수로 아군기에 대공사격을 할 우려가 있다. 이런 결과를 미연에 방지하기 위해 사격단위마다 피아항공기의 식별장치를 갖추려는 경향이 있으며, 무기 자체에 이 장치가 없을 경우에는, 전방지역의 경계레이더로부터 조기경보와 피아기에 대한 정보를 얻고 있으나, 이 방법은 신속성이 결여되고 있다. 최근에 개발된 각국의 대공무기 중 IFF장치를 갖고 있는 것은 래피어(Rapier), 롤란드(Roland), 패트리어트(Patriot), 스팅거(Stinger), 스웨덴의 RBS-70, 러시아의 SA-6, SA-8등인데 휴대용 지대공미사일까지 IFF능력을 갖게 한 점은 주목할 만한 사실이다.

라. 신속한 대응사격능력 향상

고속, 저공으로 날아오는 적의 비행 목표에 대한 사격을 하려면 시간을 놓치지 않고 신속히 대응할 수 있는 무기의 능력이 있어야 한다. 초음속의 저공목표는 레이더로 탐지되자마자 순식간에 진지상공에 출현하게 된다. 이런 목표에 대응하기 위해, 목표의 탐지, 자동추적, 미래위치 산출, 발사 등의 일련의 사격지휘절차를 신속하게 수행할 수 있도록 사격통제장치가 자동화 되어 있고, 포탄발사속도의 증대를 도모하고 있으며, 전기모터에 의해 포신이 선회 및 상하 운동을 하며, 기동하면서 사격할 수 있게 하는 방법을 이용하고 있다. 또한 이동중 사격위치로 변환하는 시간을 줄이기 위한 방법으로 자주형이 유리하며, 이동간 목표탐지를 할 수 있는 능력이 요구된다.

마. 저공목표에 대비한 무기개발

중고공목표에 대해서는 유료사거리가 대공화기보다 훨씬 긴 대공미사일로 대항하지만, 저공목표사격은 소형미사일과 대공화기로 대항할 수 있어, 여러 종류의 미사일과 대공화기가 저공목표용으로 사용되고 개발 중에 있다.

특히 대공화기에 있어서 포와 함께 레이더와 사격제원을 자동적으로 처리하는 컴퓨터를 장치하여, ECM에 대한 고려 때문에 레이더가 없을 경우에는 정밀한 광학사격통제장치를 구비하고 있다. 또한 레이더를 피해 오는 저공비행목표에 대한 조기경보문제도 중요시되어, 지상 또는 항공 관측에 의해 조기발견을 위한 노력이 경주되고 있다. 동구권국가에서는 감시탑을 구축하여 관측임무를 수행할 정도이다. 또한, 일반레이더가 포착할 수 없는 저공비행목표를 탐지할 수 있는 레이더가 개발되어 부분적으로 사용되고 있다.

그 밖에 미국에서는 조기경보체계(AWACS : Airbone Warning And Control System)에 의해 모든 고도의 비행목표를 탐지하고 있으며, 궁극적으로는 인공위성에 의한 저공목표의 탐지방법이 고려중에 있다.

표 3.9 각국의 대전차 유도탄

국 가	대전차 유도무기	유도방식	탄두	사거리(km)
미 국	Dragon III	유선, SACLOS	Probe 탄두	1.5
	TOW	유선, SACLOS	성형장약	3.75
	AAWS-M			
	FOG-M	광섬유, 카메라		
	HELL-FIRE	레이저	성형장약	
영 국	Swing fire	SACLOS	성형장약	4.0
독립국 연 합	AT-4	유선, SACLOS	HEAT	2.0
	AT-5	SACLOS	HEAT	4.0
	AT-6	SACLOS	HEAT	8.0
	AT-8	레이저, 무선	HEAT	5.0
자유중국	KUN WN	유선유도		3.0
스웨덴	RBS 56	유선, CLOS	성형장약	2.0
	BANTAM	유선유도	성형장약	2.0
일 본	KAM-3D	유선, SACLOS		2.0
	KAM-9	SALCOS	HEAT	4.0
중 국	Red Arrow 8	SALCOS	HEAT	3.0
	TOW			
스위스	ADATS	레이저빔 편승		8.0
프랑스	HOT	SALCOS	성형장약	4.0
서 독	MILAN	유선, SACLOS	성형장약	2.0

표 3.10 휴대용 지대공 유도무기

국 가	유도탄	유도방식	사거리(km)	중량(kg)
미 국	Redeye	적외선	3.0	13.0
	Stinger	적외선	3.0	15.8
	Stinger Post	적외선/자외선	3.0	
영 국	Blowpipe	무선명령		20.7
	Javelin	SACLOS	4.0	14.0
	Startsteak	HVM(고속)	1.2	
독립국 연 합	SA-7	적외선	3.5	9.0
	SA-14	레이저빔 편승	4.0	
스웨덴	RBS-70	레이저빔 편승	5~6	24.0(유도탄)
일 본	휴대용 SAM	영상적외선		
프랑스	Mistral	적외선	6.0	17.0
중 국	HN-5A	적외선	4.0	

표 3.11 전장지원 유도무기

국 가	유도탄	사거리(km)	비 고
미 국	Lance	80~130	액체추진기관, 단순 관성유도
	ATACMS	100	고체추진기관
	Lance F-0		기본 Lance와 유사함
독립국 연 합	Scud-B	280	액체추진기관, 단순 관성유도
	Scud-C	450	
	SS-23(Spider)	500	Scud의 대체용, 이동식, CEP 200m, 고체추진, 관성유도
	SS-12(Scaleboard)	900	INF조약에 의거 폐기될 것임
	SS-21(Scarab)	100	Frog-7의 대체용 장갑차량 탑재 이동식
	SS-22(CScaleboard)	900	SS-12의 대체용 INF조약에 의거 폐기될 것임
프랑스	HADES	350	Pluton대체용, 이동식
중 국	Model M	600	관성유도, 1단 고체
북 한	Scud-B	280	

표 3.12 각국의 지상발사 유도탄

국 가	유도탄	추진기관	탄두	사거리(km)
미 국	Minuteman II Minuteman III Pershing II	고체 고체 고체	1개 2MT 3개 MIRV 1개 100KT급	11,000 13,000 1,800
독립국 연 합	SS-17 SS-18 SS-19 SS-20	액체 액체 액체 고체	750KT, MIRV 1KT, MIRV 550KT, MIRV 150KT, MIRV	10,000 11,000 10,000 5,000
프랑스	SSBS-S3 SSBS-S4	고체 고체	1MT, MIRV KT급, MIRV	3,000 4,000
	CSS-1 CSS-2 CSS-3 CSS-4	액체 액체 액체 액체	20KT 100KT, MIRV 12KT 15KT	1,750 2,500 7,000 11,000

표 3.13 각국의 순항 유도탄

국 가	순항유도탄	형식	사거리(km)	비 고
미 국	AGM-86B	ALCM	2,500	B-52 및 B-52H기어 탑재
	BGM-109	SLCM		함정 및 잠수함탑재, Tomahawk
	BGM-109A	GLCM		200KT 핵탄두, Tomahawk
	BGM-109 B	SLCM	450	450kg HD탄두, Tomahawk
	BGM-109C	GLCM		BLU-97/B자탄, Tomahawk
	BGM-109G	GLCM		영국, 이탈리아, 벨기에 배치
독립국 연 합	AS-15	ALCM	3,000	Bear-H, TU-95, Blackack에 탑재
	SS-N-20	SLCM	8,300	Typhone급 잠수함 탑재
	SS-N-21	SLCM	3,000	Acula, Sierra급 핵잠수함
	SS-N-23	SLCM	8,300	잠수함 탑재
	SSC-X-1	GLCM		이동식 차량 탑재
프랑스	ASMD	ALCM	100	Mirage기에 탑재, 100-150KT탄두

제4장 국내 무기체계

4.1 대전차 유도무기

4.1.1 개 요

지상전에서 공격용 무기로 가장 위협적인 장비 중의 하나는 전차이며 세계 각 국에서는 전차를 방어하기 위한 수단을 지속적, 경쟁적으로 연구하고 있다. 대전차 유도무기는 기술 발달 단계에 따라 적용기술이 향상되어 왔으며 1-2-3-4 세대로 구분된다. 대전차유도무기 관련 기술수준은 세계적으로 평준화 현상을 나타내므로 비슷한 시기에 유사한 유도원리를 적용한 장비가 무기시장에 모습을 나타내고 있다. 우리 군에서는 1976년 당시 첨단 장비인 토우를 도입하여 대전차전 능력을 획기적 으로 향상시켰고 이후 1997년 러시아에서 중(中)대전차 유도무기인METIS-M을 도 입하여 보병 대전차 화력을 증강하였다.

4.1.2 토우 무기체계

가. 개요

토우는 1960년대에 미 휴즈 항공사에서 개발이 시작되어 1972년 실전 배치 하여 월남에서 최초 실전운용 하였으며, 육군은 1976년 FMS로 도입하였다. 80년대 중반 미군은 개량형 토우(TOWⅡ)를 배치하였고 이 후 1990대 후반 토우Ⅱ를 개량한 ITAS 라는 장비를 개발하였다.

발사관

광학 조준기

선회 장치

삼각대

유도 세트

생산 업체 : 휴즈 항공사

그림 4.1 토우 무기체계

1) TOWⅡ와 기본형 토우의 차이점

토우는 유도탄의 적외선 발광램프를 발사기에서 인식하여 탄도 오차를 추적하게 되어있으나, 적전차가 적외선 방해용 플레어를 발사할 경우 유도탄 인식이 불가하여 유도가 불가능한 경우가 발생할 수 있는데 이러한 문제점을 극복하기 위하여 토우Ⅱ에서는 유도탄 식별을 위해 유도탄 후미에 적외선 발생장치를 하나 추가하였고 야간조준경에서 유도탄 추적 열영상 기술을 채택하였다는 것이 가장 큰 차이점이다.

토우 구성품 중에서 야간조준경, 유도탄, 유도세트를 주로 개량하였다. 기본형 장비는 유도탄 뒷부분에 적외선 발광램프가 한 개이며 광학조준기에서 이 빛을 탐지하는데 적외선 방해를 받을 경우 유도탄을 식별하지 못하게 된다. TOWⅡ의 유도탄 후미에는 두 개의 적외선 발생장치가 있고 광학조준기와 야간조준경(AN/TAS-4A)이 동시에 이 두개의 적외선을 탐지하는데 한국군의 야간조준경장비는 조준경의 기능만을 가지고 있는데 비해 AN/TAS-4A 장비는 야간조준경 및 열영상 추적으로 탄도 오차 감지기능도 보유하고 있다. 이 기술은 대공포 중 비호장비의 전자 광학추적기와 같은 원리이다.

2) ITAS와 TOW 장비의 차이점

ITAS 장비는 토우의 광학조준기, 유도세트, 선회장치를 주로 개량한 장비이다.

즉, 광학조준기는 야간조준경과 일체형으로 제작되었고 선회장치는 모타로 구동되어 편의성이 증대되었으며, 유도세트에 훈련 프로그램이 내장되어 별도의 훈련장비 없이도 광학조준기에 나타나는 영상을 이용하여 훈련이 가능하다. 그러나 장비의 부피 및 무게가 커지고 구동모터의 소요 전력이 크므로 소형 축전지로는 가동 할 수가 없고 차량축전지를 연결해야 사용이 가능하며 야전 운용시 충격으로 장비의 잦은 고장이 예상된다.

> ※기타 미군 보유 대전차 유도무기
> 개인 휴대가 가능한 무기로 DRAGON, JAVELIN 두 종류가 있으며, 드래곤의 유도원리는 토우와 같고 70년대 개발되었으며, JAVELIN은 90년대 개발된 장비로써 약 10초간 표적을 추적 후 발사하면 유도탄이 기억된 영상을 자동추적, 유도하는 방식으로써 사격 후 사수가 추적할 필요가 없으므로 사수 안전이 향상되었다.

나. 특성 및 제원

제원	• 구 경 : 152mm • 전 장 : 203cm • 중 량 : 105kg • 유도탄중량 : 24.5kg • 사거리 : 65~3750m • 사거리 : 65~3750m • 광학추적장치: 시계 6.1° 　　　　　　　　　 배율 ×13	• 관통력 : 55cm • 사격각도 　– 고(상): 30° 　– 저(하): 20° 　– 방위각: 360° • 속 도: 200 m/s(평균 비과속도)
특성	• 통관 발사식 • 광학 추적식 • 유선 지휘 유도식	• TOW : Tube Launched 　　　　　Optically Tracked 　　　　　Wire Command 　　　　　Link Guide Missile

다. 운 용

지상토우는 전방사단 토우중대에서 운용하며 항공 토우 장비는 육군항공에서 운용한다. 항공토우는 지상토우와 같은 유도탄을 사용하지만 헬기에 장착하여 조종사가 운용할 수 있도록 제작되어 무기장치의 형태와 내부구조가 다르며, 항공 정비대 및 3정비창에서 정비를 담당한다.

라. 구조기능

1) 장비구성 및 기능

가) 선회장치

그림 4.2 선회장치

① 전자/기계장치로서 지상거치시 삼각대, 차량거치시 장치대 사용.

② 광학 조준기 및 발사관 부착

③ 기계적 구성품

　㉠ 포이, 고각구동기, 완충기(선회작용을 완만하게 함), 평형기(발사관 무게 보상), 잠금쇠(비사용시 장비 고정)

그림 4.3 포이

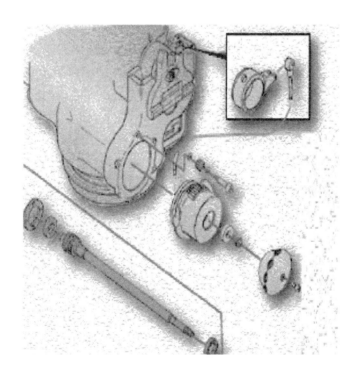

그림 4.4 평행기

방위각 완충기　　　　**고각 완충기**

그림 4.5 완충기

④ 전기적 구성품

　㉮ 비율신호 발전기(선회작용시 신호 발생), 배선 하네스, 방아쇠
　스위치(유도탄 사격)

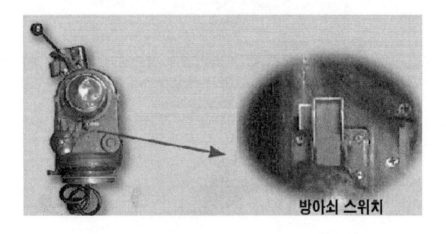

방아쇠 스위치

그림 4.6 스위치 뭉치

배선하네스

그림 4.7 배선 하네스 뭉치

⑤ 주요기능

유도세트, 광학조준기, 유도탄간에 전기적 신호 전달 및 비율신호를
발생하여 유도세트로 전달

비율 회전속도 발전기

그림 4.8 비율신호 발생기

나) 광학조준기

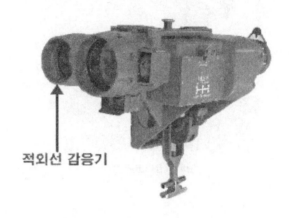

적외선 감응기

그림 4.9 적외선 감응기

① 광학추적장치 : 대물렌즈와 대안렌즈로 구성. 목표 조준, 추적용
② 적외선 감응기
   ㉮ 유도탄에서 발생된 적외선을 탐지, 광축을 기준으로 탄도오차추적
   ㉯ 렌즈 결합체 및 추적기 결합체로 구분.
   ㉰ 추적기 결합체 : 모터, 리졸버, 반반사체, 광역탐지기
③ 기능
   광학조준기 주요기능은 목표물 탐지, 조준, 추적이며, 비행중인
   유도탄과 표적까지의 조준선을 동시적으로 비교 분석하여 비행
   중 탄도 오차 탐지 결과를, 유도세트로 전송
다) 유도세트
① 유도세트는 방아쇠 스위치를 누른 후 프로그램된 절차에 의해
   순차적으로 필요한 신호를 발생하여 무기장치의 작동을 통제하
   며 그 기능은 다음 3 가지로 요약된다.
   ㉮ 무기장치 각 구성품에 전원 공급
   ㉯ 무기장치 자체시험
   ㉰ 유도신호 발생

2) 작동 원리

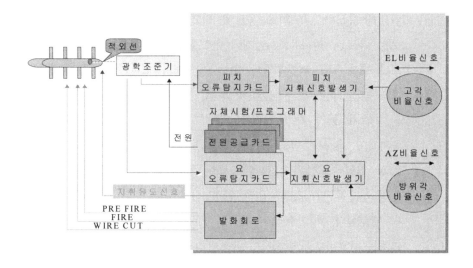

그림 4.10 작동원리

가) 자체시험

토우무기장치에는 자체시험회로가 내장되어 있으며 이장치는 운용자가 장비의 상태를 점검하고 정비자는 장비상태 관련 최초 정보를 얻고 장비를 진단하는데 매우 유용하며 사격전 반드시 자체시험과 발화회로 점검이 수행되어야 한다. 자체시험은 7단계로 구성되고 1단계 전원회로 및 배터리점검, 2단계 유도세트 전기적 균형 및 비율신호점검, 3/4단계는 양성 및 음성오류 신호시험 5단계 G-BIAS 및 프로그래머 회로시험, 6단계 선신호 및 VCO회로 시험 7단계는 광학조준기 기능 점검과 조준선 및 적외선 추적 장치간의 광축 점검 단계이다.

나) 사격 신호 발생

표적을 추적하며 방아쇠스위치를 누르면 유도세트의 전원공급기로부터 무기장치 작동에 필요한 전원이 공급되고, 40ms후에 예비사격신호가 발화회로로부터 선회장치 케이블을 통해 유도탄으로 공급되어 유도탄 내부의 배터리와 자이로를 가동시킨다. 유도탄 내부에는 3개의 열축전지가 있는데, 예비사격 신호를 받으면 화학적 반응을 일으켜 유도탄 내부회로 동작에 필요한 전원을 발생, 공급한다. 자이로는 유도탄 발사 초기단계에 탄도안정을 유지하는 기능을 하며 유도탄 내에는 Yaw(방위각) 자이로 한 개가 있다. 자이로는 압축 질소 가스통과 회전체로 구성되어 있고, 예비사격신호가 가해지면 가스통의 마개가 뚫려 가스 압력에 의해 자이로 구동 속도는 4000rpm으로 증가하여 유도탄 탄도 기준신호를 발생하는데 이 기간동안 유도세트 Yaw 지휘 신호는 차단된다. 또한 Yaw 자이로는 Roll(좌우 기울기) 안정 신호를 발생하며, Roll 안정 신호는 유도탄이 비행하는 동안 계속 발생된다. 방아쇠를 누른 후 1.52초 가 경과하면 유도세트 발화 회로는 사격신호를 발생하여 유도탄의 발사 로켓모터를 점화시킨다.

다) 유도탄 발사

발사모터가 점화되면 유도탄은 발사관을 이탈하여 날아가는데, 발사 후 약 12m 전방에서 2단계 추진 비행모터가 점화된다. 비행모터는 유도탄 몸통 중앙 좌우측에 위치하는 노즐(Nozzle)을 통해 개스를 분사하며 가속도를 부여한다.

라) 신관 무장

유도탄의 신관은 충격식이며 가속도에 의해 관성의 작용으로 약 65m 비행시 안전장치가 제거되고 무장된다. 유도탄의 탄두직경은 152mm 이고 5.3pound octol 작약이 충전되어 있다. 탄두는 외형상 기본형/개량형/토우 II 탄의 형태가 각기 차이가 있으며 개량형의 경우 탄두 전면에 반응 장갑 파괴용 프로브가 결합된다. 토우 II 탄은 토우 II A, B, C 등으로 여러 가지 모델이 있는데, 토우 II A 탄은 개량형과 탄두형태가 같고 토우 II B 탄의 경우 포탑 상단 파괴용으로써 발사 후 조준선보다 약 2m 이상 상단비행을 하다가 충격신관이 아닌 전자기적 감응 신관에 의해 전차를 감지하여 아래쪽의 전차 상단부를 파괴 할 수 있도록 작용하며 내부에 두 개의 성형작약탄이 하향으로 설치되어 있다.

마) 유도

유도탄은 내부의 Yaw 자이로에 의해 발사 후 0.76초 동안 탄도안정을 유지하므로 Yaw 유도신호는 차단된다. 유도신호를 발생하기 위한 기본 자료는 광학조준기에서 탐지되는 유도탄 탄도오차 정보, 선회장치가 움직일 때 발생되는 비율신호(직류전압) 두 가지가 가장 크게 작용한다. 기타 프로그램 된 유도탄 중력 보상신호(G-bias), 유도신호 주파수 관련 신호(CVAC), 유도탄과 유도세트 간의 주파수 보정신호(SBI)등이 유도신호에 가산된다. 광학조준기의 적외선 감응기에는 피치, 요 적외선 센서(탐지셀)이 유도탄 탄도오차를 탐지하고 그 결과는 유도세트로 전송되는데, 광학조준기의 출력은 피치와 요 탐지신호로 구분하여 유도세트로 전송된다. 유도세트에는 피치, 요 오류탐지카드가 이 신호를 받아 기준신호와 결합하여 오류신호(VS1)를 발생하고 오류신호는 각기 피치, 요 지휘신호 발생기 카드로 전달된다. 지휘신호카드는 선회장치의 비율신호 발생기에서 감지된 선회장치 구동신호를 받아 오류신호와 결합한다. 피치지휘신호발생기에서는 이 신호와 G-bias 및 CVAC 신호를 결합하여(VS2 신호) 요지휘신호 발생기로 보내고 요지휘신호 발생기는 피치, 요 유도신호를 주파수 정보로 변환(OA 신호)하여 선신호 증폭기를 거쳐 유도탄으로 보내는 것이다.

바) 관련장비

구 분		장 비 종 류
토우중대 보유	보 조 장 비	• KAN/TAS-4 야간조준경(발사기당 1) • M70 훈련세트(토우중대당 2) • 배터리충전기(PP-4884, PP-7382: 토우중대당2)
특수무기지 원대 보유	정비용 장비	• 이동정비 세트 • 야전시험세트(TFTS) • 야전시험세트 정밀 시험기(TMSM) • 야간 조준경 시험기(AN/TAM-3) • 야간 조준경 종합 시험기(AN/TAS-6)
	지 원 장 비	• 야간조준경 냉각제병 질소 충전기(AN/TAM-4)

① 보조장비

㉮ 야간조준경 : 열상장비로서 배율은 광역시계 선택 시 4배, 협역 시계 선택 시 12배이며, 조준시준기(BSC:1), 축전지팩(1) 냉각제, 병 팩(×3)이 한 세트를 구성한다. 사용시 축전지와 냉각제병은 매 2시간마다 교체해야 한다.

㉯ 훈련세트 : 사수의 표적 추적능력 향상 및 수준유지를 위해 사용하는 사수 훈련용 장비. 구성품 : 표적세트, 모의탄, 성적표시기

㉰ 충전기 : 유도세트, 훈련세트용 배터리 충전기 PP4884와 야간 조준경 배터리 충전기 PP-7382 로 구분된다.

ⓐ PP4884 : 유도세트용 배터리 2개를 동시 충전

ⓑ PP7382 : 야간조준경 배터리 6개 동시 충전

② 정비용 장비

㉮ 야전시험세트(TFTS) : 무기장치, 성적표시기, 배터리 충전기(PP-4884) 성능검사용 시험장비

㉯ 야전시험세트 정밀시험기(TMSM) : 야전시험세트 정밀측정용 장비

㉰ 야간조준경 시험장비(AN/TAM-3) : 야간야준경 성능검사용 장비

㉱ 야간조준경 종합시험기(AN/TAM-6) : 야간조준경 정비용 샾 장비

㉲ 이동정비 세트(CSS) : 5/4톤 샾 차량에 탑재되어 있으며 근접정 비 및 이동정비용으로 사용된다.

③ 지원장비

야간조준경 질소충전기(AN/TAM-4) : 야간조준경 냉각제병 충전

아) 지휘점검

토우장비 점검 시 가장 먼저 점검해야할 필수 점검사항은 자체시험과 발화회로 검사이며 이를 통해 장비의 정상 가동여부를 대부분 확인할 수 있다.

① 자체시험

■ 자체시험 1단계

점 검 내 용	점 검 절 차	정 상	비정상시 조치 내용
• 배터리충전상태 및 전원 공급 • 카드출력 전압 점검	• 자체시험 스위치 S1 : 1 • 시험-작동 스위치 S2 : TEST	• 자체시험 EL(Elevation) & AZ(Azimuth)미터 In-Band내에 위치	• 배터리 교환 • 전원 공급기 교환 • 여자 발생기 및 자체 시험 카드 교환

☞ 자체시험 1단계는 배터리와 전원회로를 점검한다.

■ 자체시험 2단계

점 검 내 용	점 검 절 차	정 상	비정상시 조치 내용
유도세트 전기적 균형 및 선회장치의 비율 신호 점검	• 자체시험 스위치 S1 : 2 • 시험-작동 스위치 S2 : TEST	• 자체시험 EL(Elevation) & AZ(Azimuth) 미터In-Band내에 위치	• 피치, 요 오류탐지 카드 교환 • 피치, 요 지휘신호 발생기 카드 교환 • 여자 발생기 및 자체 시험카드 교환 • 선회장치 비율신호 발전기 교환

☞ 자체시험 2단계에서는 선회장치의 비율신호 발전계통 및 유도세트 전기적 균형을 점검한다.

■ 자체시험 3단계

점 검 내 용	점 검 절 차	정 상	비정상시 조치 내용
양성오류 신호점검	• 자체시험 스위치 S1 : 3 • 시험-작동 스위치 S2 : TEST	•자체시험 EL(Elevation) & AZ(Azimuth) 미터In-Band내에 위치	• 피치, 요 오류탐지 카드 교환 • 피치, 지휘신호 발생기 카드 교환 • 여자 발생기 및 자체 시험카드 교환

☞ 자체시험 3단계에서는 임의의 양성전압 오류신호를 유도세트 내에서 발생하여 각 회로에 흘려보냄으로써 회로의 비정상 여부를 확인한다.

■ 자체시험 4단계

점 검 내 용	점 검 절 차	정 상	비정상시 조치 내용

음성오류
신호점검
	• 자체시험
	  스위치
	  S1 : 4
	• 시험-작동
	  스위치
	  S2 : TEST
		• 자체시험
		EL(Elevation) &
		AZ(Azimuth)
		미터In-Band내에
		위치
			• 요 오류탐지 카드 교환
			• 요 지휘신호 발생기
			  카드 교환
			• 여자 발생기 및 자체
			  시험카드 교환

☞ 자체시험 4단계에서는 임의의 음성전압 오류신호를 유도세트내에서 발생하여 각 회로에 흘려보냄으로써 회로의 비정상 여부를 확인한다.

■ 자체시험 5단계

점 검 내 용	점 검 절 차	정 상	비정상시 조치 내용

프로그래머 출력
카드와 여자 발생
기 및 자체시험 카
드 점검
	• 자체시험
	  스위치
	  S1 : 5
	• 시험-작동
	  스위치
	  S2 : TEST
		• 자체시험
		EL(Elevation)
		1~2초 후 In-Band
		8~10초 후 In-Band
		AZ(Azimuth)
		10~12초 후 In-Band
		In-Band내에 위치
			• 프로그래머 출력카드
			  교환
			• 여자 발생기 및 자체
			  시험 카드 교환
			• 피치 지휘신호
			  발생기
			  카드 교환

☞ 토우 방아쇠 스위치를 누르면 순차적인 회로 동작이 실행되며 시간대별로 정해진 신호가 발생되어 예비사격-사격-광역탐지-협역탐지 유도신호 반송파 주파수 변경, 자체시험 시 단계별 제어 등의 작용이 일어나는데 이러한 기능은 프로그램회로에서 발생된다. 자체시험 5단계에서는 프로그램회로의 동작 상태와 함께 프로그램 신호 출력을 증폭하여 각 회로에 전도하는 자체시험 카드를 동시에 점검한다.

■ 자체시험 6단계

점 검 내 용	점 검 절 차	정 상	비정상시 조치 내용

선 시호 및 VCO
점검
	• 자체시험
	  스위치
	  S1 : 6
	• 시험-작동
	  스위치
	  S2 : TEST
		• 자체시험
		EL(Elevation)&AZ
		(Azimuth) 계기
		In-Bad내 위치
			• 요 지휘신호 발생기
			  카드 교환
			• 여자 발생기 및 자체
			  시험 카드 교환

☞ 피치와 요 지휘신호 발생기에서 출력되는 유도신호는 전압의 크기로 정보가 표현되는데 요 지휘신호카드의 출력단에는 이 전압을 주파수 정보로 변환시켜주는 VCO 회로가 있고 이를 다시 증폭하여 유도탄으로 전도하는 선신호 회로가 역시 요지휘신호 카드의 최종 출력단에 위치한다. 자체시험 6단계에서는 선신호회로와 VCO회로가 점검된다.

■ 자체시험 7단계

점 검 내 용	점 검 절 차	정 상	비정상시 조치 내용
광학 조준기 점검	•자체시험 스위치 S1 : 7 •시험-작동 스위치 S2 : TEST	•자체시험 EL(Elevation)&AZ (Azimuth) 계기 중앙에 위치	• 포강 조준 손잡이 조정 • 여자 발생기 및 자체 시험 카드 교환 • 선회장치 2W1P1 케이 블 교환

② 발화회로 점검

발화회로는 유도세트 샤시 회로에 구성되어있으며 자체시험으로 점검이 되지 않으므로 전기회로 시험세트이라는 별도의 시험기재를 이용하여 검사해야 한다. 발화회로는 예비사격(Prefire), 사격(Fire), 유선절단(Wire cut) 신호를 발생하여 유도탄에 공급하는 회로로서 유도세트 TB2 샤시회로에 구성되어 있으며, 작동전압은 24V DC, 전류는 2Amp 이상이다.

㉮ 전기회로 시험세트에 의한 발화회로 점검

구 분	회로 동작 시간	스위치 반응
예비사격회로	트리거 스위치 ON후 0.04/sec	OFF
사격회로	예비사격회로 동작 후 1.48sec	OFF
유선절단회로	사격회로 동작후 선회장치의 브리지 클램프의 장전 손잡이를 위로 올릴 때	OFF

④ 발화회로 결함시 문제점 및 조치사항

결 함 내 용	문 제 점	조 치 사 항
예비사격 신호 불량	사격가능. 유도불가 (자이로, 유도탄 밧데리 미작동)	유도세트 발화회로 또는 선회장치의 2W1 케이블 검사 및 수리
사격신호 불량	유도탄 발사 불가	
유선절단 신호 불량	유도탄 유선절단 불가 (정상적인 발사 및 유도에 영향 은 받지 않으나 사격 종료후 유 도탄의 유선이 절단되지 않음)	

☞ 유도탄은 탄약고 저장시 탄통 내부 습기 유입으로 전자회로 결함 발생
가능성이 있으며 저장기간이 오랜 탄일수록 불량 발생 가능성이 높다.

4.1.3 메티스엠 무기체계

가. 개요

중(中)대전차 유도무기 METIS-M은 '97~98'년 러시아 로스보니제니사
(社)를 통해 도입하여(개발 생산회사 : KBP 까베뻬) 사단 106mm 무반동총
을 대치하여 운용한다.

메티스는 러시아어의 "혼혈아"란 의미를 가진 단어로서 "꼰꾸러기"와
"말류뜨까"라는 두 가지 장비의 특성을 혼합한데서 유래되었다. 장갑차량
및 벙커 등 견고한 물체를 파괴하는데 사용되며 개인 휴대 가능한 장비로
유도탄에서 발생되는 적외선을 추적하여 사수의 조준선과 유도탄의 탄도 오
차를 비교하여 수정 유도신호를 발생하고 유선을 통해 유도신호를 전송한다
는 점에서 토우와 유도 방식이 같지만 유도탄이 스핀 회전을 하면서 비행하
므로 탄도 안정과 유도 시 탄도 수정의 정확성이 향상되었고 유도장치의 크
기와 구조가 작고 가벼워 휴대가 간편하며 유도탄의 구조 역시 유도회로,
배터리, 날개조종 장치 등이 생략되는 등 내부회로가 매우 단순화되어 크기
와 무게가 토우에 비해 가벼우면서도 탄두위력이 극대화되어 휴대의 용이성
유도탄 기술면에서는 한 단계 높은 장비라 하겠다.

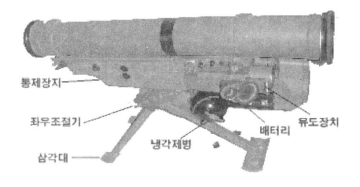

그림 4.11 메티스엠(우측면)

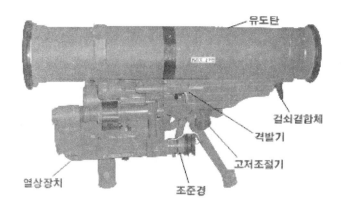

그림 4.12 메티스엠(좌측면)

또한 탄두 직경이 130mm 로서 토우에 비해 작은 편이나 탄두가 직렬 이중 대전차 고폭탄(Tandem) 구조로서 관통력이 우수하다.

러시아에서는 대전차 유도무기를 지속적으로 개발하고 있으며 현재 AT-16 까지 알려져 있다. 이 중 메티스-엠은 AT-7인 "SAXHORN "(서방측 부여 명칭)과 외형이 매우 유사하며 1980년대 초반 개발되었다. 이 장비는 AT-4, AT-5와 원리는 비슷하다. 토우와 비교할 때 주요 차이점으로는 발사 유도장치가 단순, 경량화 되었고, 유도탄이 비행 중 스핀회전 함으로써 탄도 안정성이 향상되었고 유도장치의 크기와 무게 및 구조가 단순화되었다는 점이다. 적외선 추적 시스템은 유도탄이 비행 중 회전을 하면서 만드는 회전원의 변화에 따라 탄도오차를 추적하고, 엎드린 자세로 사격을 하므로 사수가 노출되지 않아 사수 은폐와 안전성 면에서 실용적이며, 유도탄에 부착된 열 배터리를 이용하여 발사기 전원을 공급하므로 혹한기 운용과 재충전 불편이 없고, 완전 밀폐 방수 처리되어 도하 작전시 물에 뜨게끔 제작되어있고, 장비가 작고 가벼워 휴대가 용이하다.

나. 특성 및 제원

발사기(9P151)		
특 성	제 원	
•반자동유선지휘유도 •광학추적식 •전천후 사격 •기동성 우수 •무반동 통관식 •직렬식이중고폭탄	•중 량 : 23.5kg ─발사기: 10kg ─유도탄: 13.5kg (컨테이너 포함) •조준경 ─배 율: 6배 ─시 계: 6° × 6° •운용온도 범위 ─ +50~ ─50° C	•구 경 : 130mm •길 이 : 980mm •사격범위 ─방위각: ±30° ─고 각: ±15° •관통력 : 85cm •사거리 : 80~1500m •최대비과시간 : 8초
야간 조준경 (1PN86-V1)		
•열상야간조준경	•무게 : 6.5kg (배터리/냉각제병포함)	•시계범위: 2.4×6° •연속운용: 2.5H 이상 •냉각시간: 1~2분

다. 운용

1) 운용방법

표적을 조준하면서 노리쇠를 완전히 뒤로 당긴 후 조정간을 "사격" 위치에 놓고 장치대의 선회 및 고각 구동장치의 회전 손잡이를 조작한 후 유도장치가 표적을 지향하도록 어깨상의 통제장치를 회전시키고, 표적 중심을 조준경 중앙에 조준되도록 표적을 추적한다. 다음 단계는 사격 실행 단계로서 격발장치의 방아쇠를 당긴다. 방아쇠를 당길 때 공이

가 스프링의 힘으로 축전지 발열장치에 충격을 가하면 화약의 점화작용
으로 열축전지에 고열이 발생되며 열전지 내부 고체 일렉트로리터가 화
학 반응을 일으키면서 전기적 에너지를 발생한다. 열축전지는 유도 및
통제장치에 전원을 공급한다. 유도 및 통제장치는 이 과정을 자동 감시
하고 유도탄 추진 모터 점화기에 발사신호를 공급한다.

발사 후 유도탄은 유도 및 통제장치에 의해 모니터된 범위내로 들어간
다. 유도 및 통제장치는 유도탄 후미에 있는 3개의 안정 날개 중 하나
의 모서리에 장착된 예광체로부터 적외선신호를 받고 유도선을 통해 유
도신호를 전달한다. 이러한 시스템은 발사 시 조준선의 오차를 최소화
한다. 정확한 유도를 위해 조준선은 최대한 정확도를 가지고 표적을 똑
바로 지향해야 한다. 그 다음, 사수는 표적 중앙이 계속 유도장치의 십
자선 중앙에 위치하도록 장치대의 선회 및 고각 구동장치를 조작하고
유도 방향을 조종한다. 발사기는 장치대, 유도장치(조준경 및 적외선 추
적기) 및 통제장치로 구성되며 통제장치는 결합기와 격발장치로 구성되
고 장비당 부수기재 세트를 포함한다.

2) 제한사항

가) 사거리 제한(1500m)

나) 사수방호 미흡

다) 적외선 방해시 유도제한 가능

라. 구조기능

1) 장치대

선회 및 고각장치가 부착되어 있고 통제장치는 장치대에 장착되어있으
며 통제장치는 결합기 및 격발장치를 장착하고 있다. 선회 및 고각구동
장치는 지상 조종장치로써 방위각 및 고각을 조절하는 장치다.

장치대는 사격시 안정된 지지력을 제공하며 견착사격을 용이하게 하도
록 삼각대를 사용한다. 선회장치와 고각조절은 선회 및 고각 조절기 손
잡이를 이용한다.

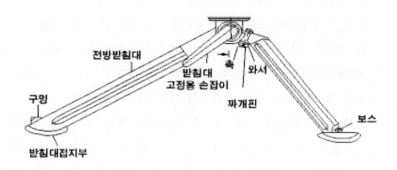

전방받침대 · 축 · 와서
받침대 고정용 손잡이
구멍 · 짜개핀
보스
받침대접지부

그림 4.13 장치대

2) 유도 및 통제장치

지상 감시, 표적탐지와 추적, 사격, 유도탄 유도 신호를 발생한다. 발사기는 유도 및 통제장치로 구성되어있고 두 장치는 기계적 및 전기적으로 상호 연결되어 있으며 유도장치는 조준경을 포함한다. 결합기는 발사기에 유도탄을 장착하고 통제장치의 플러그를 유도탄컨테이너의 접속구에 결합하는 기계식 장치이다. 격발장치는 유도탄 컨테이너의 전원공급 축전지를 작동시키는 스프링 작동 충격식 장치이다.

3) 유도장치의 기능

유도장치는 표적조준 및 유도탄추적 기능을 가지고 있으며 조종날개에서 발생되는 적외선 발광 신호를 감지하여 주파수변조 탄도오류신호를 통제장치로 보낸다. 유도장치의 구성품 중 조준장치는 두 개의 방위각 챈널을 가지고 있는 광 조정기와 광전자 전류 증폭기의 결합체이다. 조준장치는 렌즈, 십자망선 유리, 프리즘, 렌즈 조준경과 부착된 복합 필터로 구성된다. 유도탄 발사 후 2.15초 후 유도 및 통제장치는 자동적으로 챈널 I (6°광역 적외선 탐지)에서 챈널 II (5/6°협역 적외선 탐지)로 전환된다. 두 챈널은 구조와 기능이 동일하며 각각 렌즈, 변조디스크, 광검출기로 구성되어있다. 유도탄은 평균 10hz 속도로 스핀회전을 하며 유도장치는 유도탄의 적외선을 탐지하여 탄도의 수평오차, 수직오차, 탄 중심오차 정보를 획득한다. 탐지된 신호는 통제장치로 전달되어 미리 프로그램된 (예 : 중력보상신호)신호와 결합하여 유도신호가 발생되며±150VDC 유도신호가 유도탄으로 전송된다. 이 전압은 그대로 조종날개를 움직이는 마그네틱 전자석을 구동하며 마그네틱은 탄두부 통기구로 유입되는 공기의 흐름을 제어하여 조종날개를 움직인다.

4) 유도탄

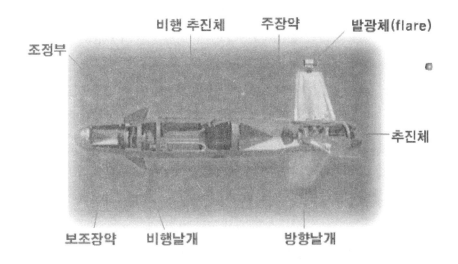

그림 4.14 유도탄 구성도

가) 날개 : 날개는 동체중앙에 위치하는 소형 조종날개와 탄두 후미에 비행 안정날개 3개가 120° 간격으로 부착되어 있고 발사관 이탈시 날개가 펼쳐진다. 안정날개 끝부분에 적외선 예광체가 있으며 이는 발사기 적외선 추적장치로부터 탄 위치 및 탄 스핀 회전각 위치, 탄도오차 관련 정보를 추적 가능케 한다.

나) 로켓모터 : 로켓모터는 토우와 같이 후미에 발사모터, 탄체 중앙에 비행모터가 위치한다.

다) 탄두 : 탄두는 2중 배열 HEAT 탄두로서 관통력이 우수하다.

라) 적외선 예광체 : 토우는 전기적 에너지로 동작되는 적외선 램프를
　　사용하는데 비해 메티스는 유도탄 내부 밧데리가 없으므로 연소성
　　예광체를 사용한다.

마. 작동원리

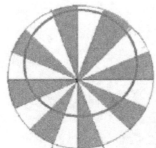

적외선 원이 변조판위를 지날 때
유도탄 탐지 주파수가 발생되며
적외선 중심의 위치에 따라 주파수
가 달라진다. 이 주파수 편차를
"델타 F" 라 한다.

그림 4.15 작동원리

유도탄이 발사되면 탄 동체 뒤편의 안정날개와 1차 추진로켓의 편향으로 유
도탄은 초당 10회 스핀회전을 하게 된다. 유도탄 한쪽 날개에는 적외선 예
광체가 부착되어 유도장치에서 감지할 수 있는 적외선을 발생한다. 유도장
치내에는 변조판과 적외선 탐지기가 유도탄을 추적 하는데, 유도탄의 스핀
회전으로 변조판에 적외선 원이 형성된다. 변조판 백색 창을 통해 적외선이
지나가면 광 감지기가 적외선을 탐지하는데 매초 75회전 변조판이 타원형
으로 원운동을 하고 변조판 자체는 300쌍의 흑백창으로 구성되므로 유도탄
이 한번 스핀 회전할 때 22.5 khz±ΔF의 주파수가 발생된다.

여기서 ΔF는 조준선에 대한 탄도 오차에 따른 주파수 편차 값이다. 이 주
파수 값의 차이에 의해 유도탄의 스핀각 변위와 탄도 오차가 탐지되며 유도
탄 조종신호의 기본값으로 사용된다. ΔF의 최대 가변치는 ±11khz 이다.

유도탄 후미에는 세 개의 안정날개가 120°간격으로 부착되어있고 그 중한 개에 예광체가 결합되어있다. 유도탄 동체 중앙에는 소형 날개 2개가 180°간격으로 돌출되어있는데 이 날개가 조종날개이다. 탄두전면에는 망형 통기구(通氣口)가 있고 이 구멍을 통해 공기가 유입되며 이공기의 흐름은 유도신호에 의해 통제되는 마그네틱에 의해 제어되어 조종날개를 구동하고 2차 비행모타의 로켓 배기구로 빠져나가며 로켓연소의 효율을 증가시킨다.

바. 장비점검

1) 유도장치 건조제 카트리지 점검(청색: 정상/분홍색: 건조제 교환)
2) 격발장치 공이 동작상태
3) 장치대 지지 견고성 점검

   메티스-엠은 개인 휴대가 용이하도록 무게를 최소화하기 위해 삼각대 및 선회장치가 알루미늄 재질로 제작되어있고 강도가 약하므로 선회장치와 삼각대 파손 가능성이 높다.

4.2 대공 유도무기

4.2.1 개요

아군의 대공방어 체계는 1964년 호크, 65년 나이키 대공유도무기를 미 군원 도입함으로서 시작되었다. 이후 1976년 발칸, 오리콘 대공포를 배치하여 방공 체계를 증강하였으며 1990년대 초반 호크(중고도 방어), 나이키(고고도)와 일부 발칸포가 공군으로 이관됨으로서 육군 자체 방공은 중고도 이하 단거리 공역 방어에 치중하는 추세이다. 휴대용 대공 유도무기는 대공포와 중고고도 대공유도무기간의 공역 공백을 보완하기 위한 것으로 80년대 후반 도입된 재브린 으로부터 90년대 초반 도입된 미스트랄과 2000년대 초반 국내 자체기술로 개발에 성공한 단거리 자주 대공유도무기체계인 천마, 뒤이어 자체기술로 개발한 휴대용 대공유도무기인 신궁까지 4가지 장비를 보유하고 있다.

☞고도 구분(미군) : 초저고도-150m 이하 / 저고도-600m 이하

중고도-7500m이하 / 고고도-15000m 이하

초고고도-15000m 이상

미군이 규정한 고도 구분은 600m 이하를 저고도로 구분하고 있으나 일반적으로 3000m 이하를 저고도로 인식하는 경향이 있다.

(예) 저고도 탐지레이더 : 3000m 이하 저고도 대공감시

휴대용 대공유도무기 : 3000m 이하 대공방어

4.2.2 재브린(JAVELIN)

가. 개 요

그림 4.16 재브린 운용 모습

재브린은 중고도 호크 체계와 대공포간의 공역 공백을 보완하기 위한 목적으로 1987년 영국 short brothers사에서 상업 구매한 장비로 저고도로 비행하는 적 항공기에 대하여 운용하는 견착식 가시선 무선 지휘유도 방식의 휴대용 대공유도무기로서 발사기는 추적안정장치(발사기 흔들림 보상장치) 및 자동유도장치로 구성되어 있다.

1) 특성

가) 저고도 휴대용 대공 유도무기

나) 반자동 가시선 무선 지휘유도(SACLOS)/(fire & track)

다) 고체 2단 추진

라) 접근표적 대응 가능

마) 휴대 / 운용 간편

바) 견착식 휴대용 대공 유도

사) 무반동 통관식

☞ SACLOS : Sami Automatic Command Line Of Sight.

2) 제원

가) 발사기 중량 : 24.3Kg (장전시)

나) 유도탄 중량 : 15.4Kg (유도탄 15.4Kg/발사기 8.9Kg)

다) 유도탄 구경 : 235mm

라) 유도탄 속도 : 1.4MH

마) 조준기 배율 : 6배

바) 주파수　　　 : B 밴드

사) 사거리 : 500~4.5km

마) 유효고도 : 고속1.2km 저속 2.5km

바) 고체 2단 추진

사) 유도탄 길이 : 145mm

아) 파편수량 : 1134개

자) 주파수　 : 찬넬 10개

나. 운용

1) 운용방법

발사기에 유도탄을 장전 후 작동스위치를 ON 에 위치 후 조준원 및 거리환이 나타나면 조준원내에 표적을 조준 후 발사한다.

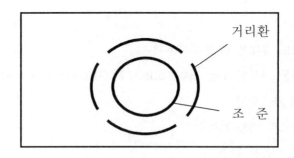

그림 4.17 조준원 및 거리환

거리환이 사라지고 유도탄이 조준원내에 들어오면 오른손 엄지손가락으로 조종간을 움직여 조준경내의 조준원이 움직인다. 조준원을 움직여 표적을 조준원내에 위치시키면 조준원의 움직임에 따라 유도탄이 유도된다. 발사기의 TV 카메라는 유도탄을 추적하여 탄도오차 신호를 유도회로에 전달하고 유도신호로 변환되어 무선 전파를 통해 유도탄으로 전송한다.

2) 제한사항

　　가) 피아식별 불가(피아식별기 미사용)

　　나) 야간사격, 안개 및 연막지역 등 시계제한 시 사격 불가

　　다) 횡단표적 교전 효과 감소

　　라) 휴대 및 견착 사격시 중량 부담

　　마) 사수 방호 미흡

다. 구조기능

발사기(Arming Unit) 구성품은 광학장치(Optical Head) 와 전자 조종장치(Control Unit)로 구분된다.

1) 광학장치

　　가) TV카메라: 미사일 위치 탐지, 탄도 오차신호를 유도회로에 제공

　　나) 비율자이로스코프(RSU) : 조준장치 유동에 대한 보상

다) 조준원 발생기 : 사수의 조준원 영상 제공

라) 4개의 렌즈 결합체

마) 토큐모타 (P, Yaw) : 조준원을 인젝터로부터 조준선 중앙에 일치시
키도록 광학통로 제공

바) 조명조절장치 : 조준원의 명암 조절

사) 망원렌즈 : 목표 탐지용 조준경으로써 확대율은 6배이다.

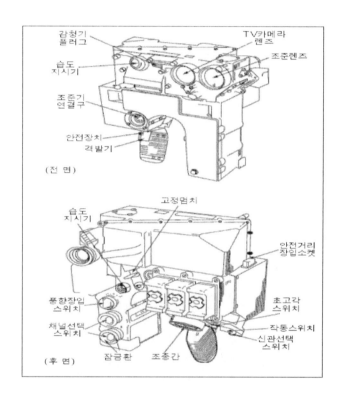

그림 4.18 발사기 및 조준장치

2) 전자 조종장치 : 유도송신기와 관련 신호처리회로로 구성된다.

가) 조종손잡이 : 사수조정에 의해 유도신호 발생

나) EFSU 회로카드 : 25초 타임 작동 및 사격지시

다) 추적회로카드 : 미사일 유도회로

라) DSPU 회로카드 : 광학장치에 필요한 제원 산출

마) 엔코더 회로카드 : 풍향 및 초고각 선택시 보상

바) 전원공급기 : 각 카드에 필요한 전원 공급

사) 3개의 재충전용 배터리

아) 스위치 : 송수신 챈널선택기/ 측풍장입

라. 작동원리

TV 카메라가 유도탄을 추적하여 사수조준선과 비교, 탄도편차를 산출할 수 있는 자료를 제공하면 유도탄 내부회로는 탄도수정신호를 발생하여 송신기를 통해 유도탄으로 송출한다.

사격간 비율감지기는 발사기의 흔들림을 보상하여 조준원이 안정되게 유지할 수 있도록 피치와 요 토큐모타를 구동한다.

4.2.3 미스트랄(MISTRAL)

가. 개요

그림 4.19 미스트랄

미스트랄은 1977년 프랑스에서 개발을 시작하여 함정, 지상, 헬기탑재용 등 다양한 형태로 개발되었고 한국과 프랑스를 포함하여 세계 20여개 국에서 운용중인 장비이다.

이 장비는 1986 처음으로 프랑스 국내에 실전 배치되었으며 한국은 1992년 프랑스 MATRA Defense 사로부터 상업 구매하였다.

1) 특성

가) 저고도 휴대용 대공 유도무기

나) 적외선 호밍, 근접신관 사용

다) 무반동 통관식

라) 발사후 망각 방식(fire & forget 방식)

마) 고체 2단 추진

☞호밍유도

수동호밍과 능동호밍으로 구분된다. 호밍이란 표적으로 부터 신호를 받아 유도하는 방식이다. 능동호밍은 레이더 또는 레이저빔을 쏘아 반사파를 수신하는 것이며 수동호밍은 물체에서 발생되는 적외선이나 전파의 방향을 탐지하여 추적하는 것이다.

2) 제원

가) 발사대/유도탄: 22.5/19Kg

나) 탄속도: 830m/s(2.5Mh)

다) 유도탄길이: 240cm

라) 유효사거리: 0.6~5.3Km

마) 유효고도 : 3Km

바) 자폭시간 : 14초(7Km)

나. 운용

1) 운용방법

가) 피아식별기를 작동하여 적기 여부 확인한다.

　☞ 발사손잡이 "HH UNLOCK" 버튼을 눌러 피아식별기 작동

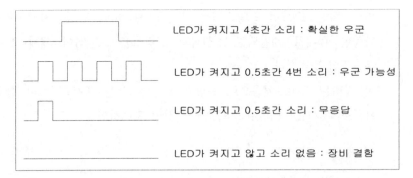

	LED가 켜지고 4초간 소리 : 확실한 우군
	LED가 켜지고 0.5초간 4번 소리 : 우군 가능성
	LED가 켜지고 0.5초간 소리 : 무응답
	LED가 켜지고 않고 소리 없음 : 장비 결함

나) BCU 작동 스위치 ON

BCU 작동 후 40초 이내에 발사하지 않으면 시준기내의 BATT 램프가 깜빡 깜빡 거린다. 이 후 5초 이내에 발사하지 않으면 BCU를 교환하고 처음부터 재가동해야 한다.

다) 시준기내에 전체원이 잠깐 뜬 다음 포착원만 남고 나머지 원은 사라진다. (미스트랄 조준장치로는 시준기와 확대경이 있으며 일반적으로 확대가 되지 않는 시준기로 사격을 한다.

라) 표적을 포착원내에 일치시키면 항공기가 포착된 경우 "삐―"하는 가 청음이 들린다. 이 시간 동안 유도탄의 적외선 탐지 장치는 표적의 진행 방향과 속도를 탐지하여 발사제원 상자로 보낸다.

마) 발사제원 상자에서는 선도각을 계산하여 표적에 대한 속도와 거리에 적합한 조준원 1개만을 조명하고 나머지 원은 사라진다. 이때 지속적인 가청음이 들린다.

바) 조준원내에 표적을 재포착 후 격발한다.

그림 4.20 시준기

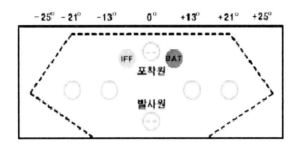

그림 4.21 시준기 내부

2) 제한사항

가) Battery 경고 등이 켜진 후 5초 이내로 사격까지 모든 동작이 완료되어야 한다.(BCU 작동시간 : 40~45초)

나) 미스트랄 유도탄 1발 당 BCU(Battery & Cooling Unit) 2개 보급

다) 햇빛이 반사되는 구름을 배경으로 한 항공기 사격을 제한한다.

라) 플레어 또는 태양광 반사 물체를 배경으로 한 항공기 사격을 제한한다.

마) 퇴각 표적 사거리 제한한다.

바) 고속 횡단 표적 사격 제한한다.

다. 구조기능

1) 장치대(삼각대 및 사수의자)

그림 4.22 삼각 장치대

2) 발사제원상자

발사전 유도탄 적외선 탐지기로부터 탐지된 항공기의 항적을 추적하여 조준시 리드를 적용할 수 있도록 시준기내에 해당 조준원을 조명한다.

3) 조준경

시준기 및 확대경으로 구성

그림 4.23 주간 조준경

4) 야간조준경(MITS2)

그림 4.24 야간 조준경

5) 피아식별기(SB14A2)

라. 작동원리

사수가 조준원으로 표적을 조준할 때 유도탄 탄두부 적외선 탐지장치는 표적의 열적외선을 추적한다. 발사제원 상자에서는 표적의 대략적인 속도와 방향 관련 자료가 처리되어 해당되는 조준원을 조명한다. 즉, 좌에서 우로 비행하는 고속 항공기의 경우 다섯 개의 원 중에서 맨 우측 조준원이 시준기에 나타나는 것이다. 이는 발사시 표적에 대한 선도각을 적용하는 것이다. 발사 후 유도탄은 사수 조준에 따라 예정된 선도각을 향해 발사된 후 비례항법 원리가 적용되어 날아가게 된다. 유도탄 탄두부의 적외선 탐지기(seeker)는 표적을 지향하며, 탄두 방향과 표적간에 형성되는 각은 비례항법 유도방식에서 각 변화율이 적용된 것이며 적외선 탐지기는 항공기의 엔진에서 발생되는 열적외선을 탐지한다.

마. 점검사항

1) 발사대, 피아식별기

연결자 핀 및 장비외관 변형, 오물, 손상확인

2) 야간조준경(MITS-2)

가) on/off/standby 버튼을 1초가량 누름

→ 영상이 나타날 때까지 대기(약 4분간)

→ 초점 조절기로 망원경 초점이 조절되면 정상

나) normal/invert 버튼을 누를 때마다 적색/흑색 또는 흑색/적색으로 변화하면 정상

다) offset 조절버튼을 누르고 목표가 정확히 설정될 때까지 이득조절 버튼으로 조절

라) on/off/standby 버튼을 1초 이내로 눌렀을 때 영상이 사라지고 영상 표시기가 stand-by 형태로 바뀌면 정상

마) on/off/stand-by 버튼을 2초 정도 누르고 영상표시기가 점멸하는

지 점검

바) 배터리, 전원연결단자 케이블 및 연결단자 핀의 휨 / 부식여부 점검

사) 배터리 사용시간 기록철에 기록여부 확인 : 수명시간 15h

3) 유도탄 발사관

가) 유도탄 용기 육안검사

굴곡, 충격흔적, 발청, 청결여부 확인

나) 구성품 검사

① 유도탄 질소압력계가 녹색이면 정상 200mb 이하 적색이면 질소 보충/250mb 이상 적색이면 질소 누출

② BCU 하단부 사용 표시기 색깔이 분홍색-정상, 청색-사용불가

4) 훈련세트(ATPS)

가) 배터리 및 케이블 완전 잠금 상태이면 정상

나) 훈련용 유도탄의 압력계가 220b~700b 사이면 정상

4.2.4 이글라 9K38(SA-18)

가. 개요

이글라 휴대용 대공유도무기(SA-18)는 98년 러시아에서 도입한 장비로 적외선 유도방식이며 육안으로 관찰할 수 있는 저고도 적 항공기와 헬리콥터에 대한 접근 및 퇴각 표적 요격용 장비이다. 아군 보유휴대용 대공유도무기 중 가장 가볍고 사용 방법이 단순하여 운용이 용이하다. 참고로 북한은 SA-16 장비를 보유하고 있는 것으로 알려져 있으며, 03년 현재 러시아는 SA-18의 개량형인 IGLA-S를 생산 수출하고 있고, IGLA-S 탄두는 3.5Kg으로 기존 이글라와 같으나 사거리는 5.2Km에서 6Km로 증가하였다.

1) 특성

가) 저고도 휴대용 대공 유도 무기

그림 4.25 이글라 발사장면

나) 적외선 자체유도방식(fire & forget 방식)

다) 무반동 통관식

■ 고체 2단 추진

■ 접근표적 대응 가능

■ 휴대 간편

■ 견착식 휴대용 대공 유도무기

■ 전천후 사격

2) 제원

가) 유효사거리 : 5.2Km

나) 유효고도   : 3.5Km

다) 유도탄 속도: 1.8MH

라) 운용온도   : −44~50℃

마) 전장   : 169.9cm

바) 중량   : 16.8Kg(부수기재포함시 18.8Kg)

사) 자폭시간 : 14~17초

아) 신관 : 충격신관 또는 반경 1.5cm 근접 신관

자) 구경 : 72.2mm

차) 유도탄 무게: 10.6Kg

카) 열광학 유도부 최고 방위각: 38°

타) 발사관 전장: 169.9cm

파) 발사기 중량: 6.2Kg

하) 운용횟수 : 30회 이상

나. 운용

공역(Air Space)감시가 용이한 지형에서 사수가 어깨 위에 견착 사격 또는 무릎 쏴 자세로 유도탄을 발사한다. 유도탄은 참호, 수상 및 늪지대 지형에서도 사격이 가능하며, 정지 또는 20Km/h 이하 속도로 주행하는 장갑차에서 사격이 가능하다. 대상 표적은 전투기, 전폭기, 헬기이다.

유도탄은 1개의 표적에 유도탄을 동시 또는 연속 발사해서는 안되며 기본적으로 접근표적 방향으로 발사하고 실패 한 경우 퇴각표적 방향으로 발사할 수 있다. 사수는 순간 판단에 중요한 요소가 되는 표적의 형태, 속도, 높이 및 사거리를 판단할 수 있도록 숙달되어야 한다. 운용절차는 아래와 같다.

1) 보호안경을 착용한다.

2) 잠금쇠를 개방하여 발사관 전•후방 덮개 제거

3) 조준선이 조준경에서 " ◄─────► " 표시와 정렬되게 한다.

4) 레버의 홈에서 손잡이가 분리되도록 당긴후 90°로 전환 후 레버 홈에 고정시킨다.

5) 방아쇠를 0.6초 이내에 초기점에서 최대점으로 당겨 발사한다.

> ☞ 사격시 유도탄이 발사될 때까지 표적을 조준 및 추적한다. 배경신호보다 표적의 적외선이 약할 때는 유도탄 자이로스코프로터가 고정되고 발사관의 신호램프가 깜빡거린다. 이 경우 유도탄이 적외선을 탐지할 수 없는 상태이다.

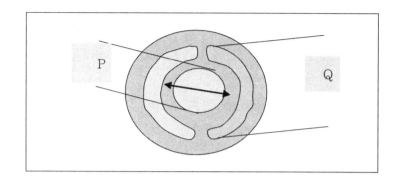

그림 4.26 이글라 조준선 정렬

6) 사격방법 : 자동 및 수동 모드에서 발사 가능

    가) 자동모드 : 다양한 종류의 표적 접근 및 퇴각 방향 사격시 사용 0.6
        초 이내에 방아쇠를 초기점에서 최대점으로 당긴다.

    나) 수동모드 : 전원 공급기가 작동되고 조준이 완료된 후 방아쇠를 최
        초위치에서 중간 위치로 전환하고 약 0.6초 후 불빛 신호 발생시
        방아쇠를 중간 위치에서 최대 위치로 당기면 발사된다.

다. 제한사항

발사구역은 유도탄이 발사될 수 있는 공역을 말하고, 교전 구역은 발사 구
역내에서 발사된 유도탄에 의해 명중될 수 있는 공역이다.

표적 비행속도(Km/H)	방 향	고도(m)	사선거리(m)	사거리(m)
항공기(950~1000)	접근 표적	10~2000	500~3300	2000까지
헬리콥터(0~360)	접근 표적	20~3000	600~4500	2500까지
항공기(950~1000)	퇴각 표적	10~2000	1000~4800	2500까지
헬리콥터(0~360)	퇴각 표적	10~3500	800~5000	3000까지

1) 표적이 근거리인 경우

사수 앞으로 고속 횡단시 사격 제한, 특히 근거리 퇴각 표적은 각 추적
율이 높아 발사장치의 신속한 조작이 어려워 운용이 제한된다.

각변화율이 12°/초 보다 클 경우 12°/초 이하로 감소할 때까지 자동풀림회로가 발사를 지연시킨다.

2) 표적이 원거리일 경우

가) 표적이 원거리이고 접근 표적일 경우 유도탄 발사직후 표적의 열 방사 강도가 약하여 열광학 유도부 작동에 제한이 따른다.

나) 방사력의 한계는 표적의 성질 및 주변 환경에 따라 영향을 받는다.

3) 표적거리가 1Km 이내이고 제트항공기일 경우 방아쇠를 당기지 않는다. 이 경우 퇴각시 발사한다.

4) 가(假) 열표적이 있을시 표적이 사거리 내에 들어온 후, 방아쇠를 당긴다.

5) 원격 조종 항공기와 같이 저 방사 표적에 발사시와 적운층에 의해 형성된 주변 상황에 햇빛이 조명되었을 때 사격을 중지한다.

6) 표적이 구름과 맑은 하늘 경계면에 위치시 사격을 금지한다.

7) 한 개 표적에 유도탄을 동시 또는 연속 발사하지 않는다.

8) 야간에도 관측가능 시 사격한다.

9) 무선 통신 장비에서 최소한 10m 이격/빌딩, 산 등을 배경으로 한 목표는 사격을 금지한다.

10) 표적이 조준경 P의 1/2보다 크면 대략 사거리 내에 위치한 것이며 표적이 조준경의 P보다 크고 Q보다 작으면 사거리는 약 1.5Km이다.

11) 무선통신장비 장착 차량에서 유도탄 발사 시 통신장비 작동을 금지한다.

12) 레이더 기지로부터 100m 이내이고 레이더 안테나 반사경이 사수정면 존재 시 발사 금지 유도탄 내부회로가 전자파 간섭으로 오작동 될 가능성이 있다.

라. 구조기능

1) 작동원리

이글라는 비례항법원리와 적외선 호밍유도방식의 두 가지 유도원리를 함께 사용한다. 비례항법 원리란 항공기의 미래 위치를 고려한 선도각이 유도탄내부 자이로에 설정되고 설정된 각에 의해 유도되는 것이며 바람의 영향 등으로 각 변화율 발생시 조준선의 각 변화율을 최소화시키도록 유도하는 것이다.

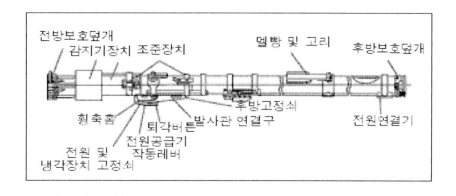

그림 4.27 이글라 유탄발사기

모든 유도탄은 발사초기 가속단계에서 탄도 불안정 현상이 발생하므로 자이로에 의해 탄도를 안정시키고 유도신호는 억제하게 된다.

유도탄이 일반적으로 근거리에서 낮은 명중률을 나타내는 것은 이러한 이유 때문이다. 다시 말해서 발사초기에는 자이로에 의해 탄도 안정을 도모하고 유도신호는 억제하게 된다.

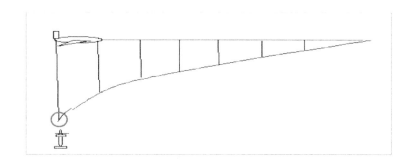

그림 4.28 발사 조준선 및 비행경로와 예상요격지점도

유도탄은 비례항법 원리와 적외선 호밍유도방식을 혼용한다. 비례항법 원리를 사용하는 이유는 초기단계부터 호밍유도만을 적용할 경우 항공기가 고속으로 이동함에 따라 유도탄이 최초 발사방향으로부터 급선회 해야 하며 이러한 경우 조준선이 재정렬 될 때까지 탄도가 흔들리는 현상이 나타나고 항공기가 적외선 탐지부의 시계범위를 벗어날 수도 있으며 조준선이 크게 흔들리게 됨으로 명중률이 떨어지게 된다. 즉, 유도탄은 움직이는 표적을 끊임없이 정조준하기 위해 날개를 조종하며 날아가는데 정확히 조준선을 따라 안정된 일직선의 비행을 하기 위해서는 계속 끊임없이 나선형의 비행을 하게 되며 나선의 크기가 작을수록 명중률은 향상되는 것이며. 시간이 경과함에 따라 나선의 크기는 점차 작아지면서 표적에 근접하는데, 만약 표적이 갑자기 날아가는 방향을 급선회 할 경우 유도탄의 항적도 갑자기 커다란 나선형으로 바뀌게 되어 표적을 빗나갈 가능성이 커지는 것이다. 유도탄 조준선의 각 변화율은 단일 채널형 자이로스코프 유도부에서 측정되며 회전하는 유도탄의 단일 채널 조종 원리에 따라 작동된다. 이것은 유도탄이 비행 중 조종을 지시하기 위해 유도탄의 회전운동을 이용하는 것을 가능케 한다. 유도탄은 표적의 최대 열 발생부를 명중시키게 되며 신관은 충격 또는 반경 1.5cm 근접 신관으로 작동한다. 근접신관은 유도탄이 표적에 접근 시 주 표적감지기 코일선에 유도전기가 발생하여 주 표적감지기의 영구자석이 움직이며 금속격벽에서 발생되는 와전류의 영향을 받아 뇌관이 점화되고 잔류 추진모터까지 폭발하여 폭발 효과가 상승한다.

가) 열광학 유도부

표적에서 발산되는 열을 감지하여 표적을 자동추적하고, 가(假) 열 표적의 영향을 받는 상태에서도 조준선의 각도 변화에 비례하는 조종신호를 발생한다. 열광학 유도부는 추적 조종기, 전자회로기판, 본체, 공기역학적 감쇄기, 냉각기로 구성된다.

나) 날개 조종장치

조종날개는 유도탄 전단부에 위치하며 작동기, 터보발생기, 전원공급기 정류기, 변위각 감지기, 변위각 감지 증폭기, 고체연료 반응 추진개스 발생기, 고체추진 조종모터 등으로 구성되어 있다.

다) 탄두부

파편효과와 탄두의 작약 및 추진모터의 잔류 추진제 폭발에 의해 발생되는 폭풍 효과이다. 추진모터 모터는 유도탄 비행시 순항속도 유지 및 유도탄의 가속, 유도탄의 방출 및 요구되는 각 변화량을 전달하는 기능을 한다. 모터는 발사모터와 추진 모터로 구분된다.

> ※ 발사모터
>
> 노즐 결합체에 7개의 노즐이 있다. 노즐은 탄체에 회전력을 제공하기 위해 일정한 각도로 배열되어있고 발사관내에서 연소 후 잔류한다.
>
> ※ 추진모터
>
> 유도탄의 순항속도를 가속시키고 비행시 순항속도를 유지한다.
> 사수에 대한 후폭풍의 영향을 고려하여 발사대 5.5m 전방에서 점화되며 연소 종료전 표적에 도달 시 탄두와 함께 폭발하여 파괴력을 보완 한다.

라) 고정날개

유도탄을 공기 역학적으로 안정화시키고 탄도에서 유도탄을 사격각도로 상승 및 적정 회전속도를 유지하기 위해 설계되어 있다.

날개는 발사시 유도탄의 회전으로 인한 원심력의 작용으로 펼쳐진다. 날개는 유도탄 세로축과 일정한 각도로 결합되어 유도탄을 적정 회전속도로 유지한다.

마) 발사관

유도탄 포장 용기의 역할을 하고 발사시 유도탄의 최초 탄도를 부여한다. 발사관에는 감지기, 신호램프 조준경, 발사관 연결구, 접속구, 클램프, 멜빵 등이 장치되어있다. 조준경은 전방조준경과 후방조준경으로 구성되며 유도탄 발사 전에 목표물을 조준하는데 사용된다. 전, 후방 조준경의 조준선 축은 발사관 축에서 10° 하향으로 배열되어 저공비행 표적 공격 시 유도탄에 대한 고각을 제공한다.

마. 점검사항

1) 경보음 발생기 점검 : 표적과 조준선 일치시 "삐-" 소리가 나면 정상
2) 발사관 고정 홈 먼지, 오염 여부

3) 발사관 전기접속 콘넥터 및 리테이너 접촉상태, 리테이너 검사

4) 격발기 복원레버 작동상태 : 작동이 원활하고 격발기가 복원되면 정상

5) 온도가 50℃ 이상인 장소에 장비 보관(금지) 여부

4.2.5 신궁(新弓 : New Arrow/KP-SAM)

가. 개요

그림 4.29 신궁 발사장면

신궁은 1995년 12월 개발에 착수하여 2003년10월 국내 방위산업 분야에서 최초로 개발에 성공한 휴대용 적외선호밍 대공 유도무기로써 미스트랄과 같은 형태의 삼각대에 거치, 운용하며 견착 사격도 가능하다. 미국의 스팅거나 러시아의 이글라의 경우 명중률이 60%에 불과한데 비해 신궁은 90%대의 명중률을 가진 우수한 장비이며 피아식별기 및 야간조준경 사용으로 전천후 사격이 가능하며 미스트랄에 비해 무게가 5~6kg, 길이가 40cm 짧아 개인휴대 운용이 용이하다. 신궁 개발 과정에서 축적된 기술은 방산분야에서 적외선 탐지기, 유도탄 소형 경량화 기술발전에 파급효과가 기대되며 장차 대전차 유도무기와 단거리 공대공 유도탄 개발 핵심기술로 활용될 수 있을 것으로 전망된다.

나. 특성

1) 저고도 휴대용 대공 유도무기
2) 적외선 호밍, 근접신관 사용
3) 무반동 통관식
4) 발사후 망각 방식(fire & forget 방식)
5) 고체 2단 추진
6) 피아식별 및 주야작전 가능

다. 제원

최대사거리	5.5km	유도탄무게	15kg
최대고도	3.5km	길이	166cm
최대속도	마하 2이상	직경	80mm
유도방식	비례항법/적외선호밍	명중률	90%이상
신　　관	근접신관	파편	720개

라. 운용

1) 미스트랄 수명주기 종료 후 미스트랄 배치 부대 우선 보급
2) 향후 차량, 헬기, 함정탑재형으로 운용범위 확대 가능
3) 사수는 주, 야간조준기를 사용하여 표적을 탐지하고 피아 식별기를 사용하여 적기를 식별 후 발사한다.

마. 구조기능

1) 삼각대, 조준기는 미스트랄과 외형 및 기능유사
2) 조준기는 사격전 항공기의 속도와 방향을 탐지하여 선도각을 적용하고 해당되는 조준원을 조명한다.

바. 작동원리

비행간 항공기 속도 및 방향에 따른 시선각 변화율을 적용하여 비례항법원리(PNG)와 표적적응 유도방식(TAG)을 모두 사용하여 비행하는데, 비례항법 원

리에 의한 유도 할 경우 유도탄을 최단거리로 항공기에 접근시킬 수 있다.

유도탄은 최초 발사모터에 의해 약 10여 m를 비행하고 이후 비행모터로 비행한다. 즉, 모터는 1차 발사모터(부스터)와 2차 비행모터(서스테인)로 나뉘어 연소(2중 추력방식)하며 부스터는 최대속도까지 가속, 서스테인은 유도탄 속도를 일정하게 유지시키는 역할을 한다. 유도탄 전면의 적외선 탐지기(IR Seeker)는 항공기 배기구 열 적외선을 감지하여 적기를 추적하는데 근적외선 영역과 원적외선영역을 각기 감지할 수 있는 2색 탐색기(two color seeker)를 사용함으로서 적외선 기만용 불꽃(flare) 방해 극복능력(IR CM : Infrared Counter Measure)을 보유하고 있다.

1) 비례항법(PNG : Proportional Navigation Guidancce)

목표물의 진행방향을 예측하여 유도탄을 예상 명중점으로 바로 접근시키는 것으로 항공기를 측후방에서 따라가는 것이 아니라 미리 항공기가 날아올 방향으로 비행함으로써 표적 격추를 위한 유도탄의 최단거리 비행이 가능하고 급격한 방향전환이 없어 탄도안정과 명중률 향상효과를 제공한다. 발사 전 표적을 추적할 때 탄두의 유도부 자이로가 각 변화율을 측정하고 발사 후 측정된 각 변화율이 적용되어 날아가게 된다.

2) 표적적응 유도(TAG : Target Adaptive Guidance)

유도탄이 표적에 근접 도달시 표적방향으로 선회각을 크게하여 표적 항공기의 동체를 향해 폭발에너지가 집중 될 수 있도록 한 유도 방식으로 선회각의 방향은 시선각의 진행방향이 되며 선회각의 증가
량은 시선 각속도에 의해 결정되어진다.

4.2.6 천마(天馬)

가. 개요

천마는 야전군 기동부대와 수도권 주요 군사기지 국지 방어를 위한 한국형 단거리 지대공 유도무기체계에 대한 국내개발이 요구됨에 따라 최초 1985년 소요제기 이후 1999년 국내 개발에 성공한 장비이다.

그림 4.30 천마 발사장면

1) 용도 : 단거리 국지 방공

2) 연혁

3) 1985. 11 육군 소요제기

4) 1989.7~1994.9 선행개발 - 1994.10~1997.12 실용개발

5) 1999.12 실용추가 시제

천마는 피지원 부대 지휘관이 선정한 방공 우선순위에 따라 주요 군사 및 국가시설과 기동부대에 대한 중·저고도 대공방어 임무를 수행한다.

천마는 고도의 명중률로 중·저고도 표적을 효과적으로 파괴할 수 있으며 자주 장갑차량 탑재방식으로 기동력과 신속한 진지 변환 능력이 탁월하며 탐지, 추적, 피아식별, 사통시스템이 하나의 장비 내에 집약되어 운용이 간편하고 반응이 신속하다.

가) 특성

■야지 기동성 양호	■야간 관측 용이
■자동변속기 사용	■레이더 화면 분석 용이
■대전자전 방어 기능 보유	■자체점검 기능 보유
■탐지간 추적 및 이동간 탐지	■지상 항법장치
■화생방 탐지, 경고, 및 방호	■시선지령유도

① 고출력 장갑차량 탑재로 야지 기동성 우수

② 자동변속기 사용으로 환향, 속도조절, 제동신속

③ 주파수 도약 방식 레이더 운용으로 대전자전 방어 능력 우수

④ 화생방 탐지, 경고, 방호 가능

⑤ 탐지 영역내 표적 피아 식별 가능

⑥ 야간관측 잠망경 사용으로 야간관측 용이

⑦ 자기 진단 및 자체 점검 기능에 의한 결함 색출용이

⑨ 지상항법 장치 사용으로 자세 및 좌표정보 제공

⑨ 공기조절 장치에 의한 냉난방, 환기 및 습도자동 조절 가능

⑩ 인체 공학적 내부 공간 설계

나) 제원

사 통 능 력			
표적탐지	▪고도 : 5Km ▪거리 : 20Km	피아식별 사용 모드	1, 2, 3/A, 4
추적거리	▪추적거리 : 16Km	반응시간	10°(표적지정-발사)
ECCM	▪자동처리	유도방식	시선지령(CLOS)

☞ CLOS : 시선지령유도(Command to Line of Sight)

화 력			
유도탄 탑 재	8발	사정거리	0.6∼9Km
유효고도	5Km	유도탄 속 도	2.6MH
단 발 명중률	사거리 내 80%	탄 두	집중식 파편형
신 관	근접(광학식)/충격	추진로켓	고체 1단
유도탄 작동기	4축 공압식	지 령 수신기	유도지령수신/ 비콘응답
살상반경	8m	외 경	165mm
길 이	2630m	유도탄 무 게	86.2Kg

탐지추적장치

전원	주파수	400Hz±3%	적외선 측각기 ☞운용 (T=0.5 ~2.5")	사용파장	1.8~2.6μm
	교류	200VAC/50KVA		광시계	10°×9.3°
	직류	28V/5KW		협시계	5°×4°
추적터렛 구동범위	AZ : 360°		주간감시 카메라	사용파장	0.7~1μm
	EL: −30°~69.5°			시계	2.4°×1.8°
최대출력	XX W 이상		탐지 레이더	주파수	S대역
레이더 통제기 신호처리	표적전시 : 20			안테나 회전	40RPM
	탐지간 추적 : 8 (재머 포함 9개)		추적R	주파수	주파수대 : KU
추적레이더 보조안테나	빔폭: 10°			빔 폭	방위각: 1.15° 고각: 1.2°

물리적 특성

전투중량	26.5톤	전 장	7.1m
폭	3.4m	높이ANT 세움/눕힘	5.4/3.6m
엔진출력	520HP	엔진	10기통/디젤

나. 운용

1) 편성

천마체계는 해상 및 산악 지형을 이용한 저고도 기습 공격에 대응하기 위해 적 접근로 및 제한된 중 저고도 대공방어용 장비이다.

또한 수도권 지역에 대한 국지 방공능력을 보강하며 평시 집결 보유하다가 유사시 주공 및 조공부대에 배속되어 대공방어 기능을 제공한다.

통신장비를 통한 타 체계와의 Data Link 를 통하여 Netted system 운용이 가능하여 다수의 적 침투시 공동작전을 수행한다.

운용자는 조종수, 분대장, 사수, 부사수 총 4명이다.

2) 장비 가동

천마 체계는 다음 5가지 모드로 운용된다. 각각의 모드는 레이더 통제용 콘솔의 운용자가 선택할 수 있다.

가) 셋업 (Configuration Setting)

나) 작전훈련모드(Operational)

다) 수송/유도탄 장착 모드(Transportatin/Miissle Loading)

라) 자체점검 모드(Built-In-Test)

마) 점검모드(Maintenance)

① 셋업모드(CONFIGURATION SETTING MODE)

운영자가 포대 운용 조건들을 확인하거나 변경하고자 할 때 선택한다. 레이더 통제용 컴퓨터와 사격통제용 컴퓨터의 비휘발성 기억장치에 기억되어있는 포대 설치데이터가 레이더 통제용 콘솔 및 사격 통제용 콘솔의 화면에 전시된다. 운영자는 체계의 작전 환경이 변경되거나 체계가 이동한 경우에는 이 메뉴를 선택하여 체계 설치 데이터를 수정하거나 확인해야 한다. 이 모드에서 입력하거나 확인해야 할 데이터들은 다음과 같다.

㉮ 탐지레이더의 주파수설정

㉯ 탐지레이더의 송신허용구역(Sectorial Transmission)설명

㉰ 사격 금지 구역 설정

㉱ 안전 회랑 구역(Safe Corridor)설정

㉲ 추적레이더의 주파수 설정

㉳ 유도탄 지령 수신기의 주파수 설정

㉴ 체계의 자기 위치 및 인접 체계들의 위치 정보교환

위의 데이터들은 레이더 통제용 콘솔의 키보드와 조이스틱을 이용하여 입력되거나 수정되며 사격통제용 콘솔의 운용자가 확인, 점검할 수 있도록 사격통제용 콘솔에도 전시한다.

나) 작전 훈련 모드(OPERATIONAL MODE)

이 모드는 실제 작전 상황에서 운용되는 모드이며 체계 준비 완료 상태에서 탐지레이더의 작동과 함께 시작된다. 운용자가 운용모드를

바꾸거나 전원을 끄는 경우 종료된다. 이 모드를 선정할 때 레이더 통제용 콘솔의 "COMBAT / TRAINNG" 스위치가 "COMBAT" 위치에 있으면 작전모드로 운용되고 " TRAINNG" 위치에 있으면 훈련모드로 운용된다. 일반적으로는 훈련모드로 시작하고 표적을 지정하여 추적한 다음 "COMBAT / TRAINING" 스위치를 " COMBAT" 위치에 돌린 후 유도탄을 발사한다. 훈련모드에서 표적을 포착하여 레이더 통제용 콘솔에서 "FIRE" 스위치를 누르면 실유도탄은 발사하지 않고 사격모드를 모사하며, 이 경우 화면상에 모의 유도탄을 표시하게 된다. 작전모드에서 작전순서는 다음과 같다.

① 탐지레이더 작동

탐지 범위 내에 표적이 탐지되면 자동적으로 피아식별(IFF)과 탐색간 추적(TWS : Track while Scan)을 수행하여 표적 정보를 저장한다. 탐지레이더가 작동되면 탐색간 추적으로 표적이 8개까지 레이더통제용 콘솔과 사격통제용 콘솔의 평면위치 지시기(PPI)화면에 전시된다.

㉮ PPI(Plane Position Indicator) 화면

레이더 영상표시 방식의 하나. 거리대 방위각 좌표로 표적을 지시하는 것이며 대부분의 탐지레이더에서 사용되는 방식임. 기타 A-SCOPE/ B-SCOPE 방식이 있으며 A-SCOPE 방식은 추적레이더에서 주로 사용되고 신호세기의 좌표를 시간축 상에 표시하고, B-SCOPE 방식은 거리에 대한 방위를 직사각형 좌표로 표시하는데 주로 다기능 레이더 영상을 2차원으로 표시하는데 사용됨.

㉯ IFF

Identification of Friend or Foe의 약어로 피아식별

② 위협분석(Threat Evaluation)

탐지 표적들에 대한 위협분석을 실시하여 최대위협 우선순위에 따라 표적을 선택하고 평면위치 지시기에 부호로 표시한 상태로 레이더 통제용 콘솔의 운용자가 표적을 지정하도록 대기한다.

③ 표적 지정(Target Designation)

　사용자는 위협 분석 결과에 따라 자동으로 선정된 표적을 지정하거나 사용자가 판단한 다른 표적을 레이더 통제용 콘솔의 키보드를 이용하여 교전 표적으로 지정한다. 선택된 표적을 교전 표적으로 지정할 때는 레이더 통제용 콘솔의 "VALID" 스위치를 누른다.

④ 추적레이더 작동

　표적이 지정되면 지정표적의 방위각(Azimuth)방향으로 추적/발사터렛이 회전하고 추적레이더가 작동되어 표적을 고각 방향으로 탐색하여 표적을 포착하고 추적한다. 이때 사격통제용 콘솔에서 교전여부를 판단하여 "안전/사격허용" 스위치를 "사격허용"으로 돌리면 유도탄에 전원이 인가되어 발사 가능한 상태로 된다. 이때 발사터렛은 추적터렛을 따라 이동하며, 사격통제용 컴퓨터는 추적터렛이 선도각과 초고각 만큼의 차이를 갖고 표적을 향하도록 레이더통제용 컴퓨터에 계산된 값을 전송한다.

⑤ 표적 추적 및 교전 판단(Engagement Assessment)

　추적장치는 지정 표적을 계속적으로 추적하며 사격통제용 컴퓨터는 표적이 교전 가능구역 내에 위치하는지 여부를 계산하여 사격통제용 콘솔에 표시한다. 또한 이 판단 결과를 레이더 통제용 컴퓨터에 전송하면 레이더통제용 콘솔 화면에 이를 전시한다.

　레이더통제용 콘솔의 사용자는 표적이 교전가능 구역 내에 진입하면 발사 스위치를 누른다. 이때 사격통제용 컴퓨터에서 계산한 교전 판단 결과는 사용자를 돕는 목적으로만 사용되며 발사가능 조건으로 처리되지는 않는다.

⑥ 발사

　레이더 콘솔은 사용자가 "FIRE" 버튼을 누르면 이 신호가 유도탄 통제기에 전달되어 발사 과정이 수행된 후 유도탄이 발사된다. 유도탄 통제기는 발사신호를 하드웨어 신호선으로도 수신하고 1553B 데이터버스를 통한 데이터로 수신하여야만 발사 신호로 인지한다.

⑦ 유도탄 비행

유도탄은 초기 자유비행 단계, 초기 유도단계, 중기유도단계 과정을 거쳐 목표물에 접근한다. 사격통제용 컴퓨터는 초기 유도단계에서부터 유도탄을 유도하여 지정 표적에 접근시키고 유도탄이 지정 표적에 근접하면 신관이 감지하여 탄두를 작동시켜 격추한다. 사격통제용 콘솔에는 표적과의 시선 방향을 중심으로 유도탄의 궤적이 그래프로 표시되므로 사격통제용 콘솔의 운용자는 이 그래프와 평면 위치 지시기 화면에 표시되는 교전 표적의 궤적을 관찰하여 표적의 명중 여부를 판단하여야 한다.

⑧ 유도탄 폭파

유도탄 폭파는 명중과 자폭으로 구분되고 자폭되는 경우는 다음과 같다.

㉮ 사격통제용 컴퓨터의 유도프로그램이 판단하여 유도탄이 빗나간 것으로 판정되면 자폭신호를 송신한다. 이 경우 추적레이더는 표적을 계속적으로 추적하므로 Lock-on 깃발이 계속 세트되어있고 다음 유도탄을 선택하여 발사하면 된다.

㉯ 레이더 통제용 콘솔 운용자가 자폭스위치를 누른 경우 레이더 통제용 컴퓨터는 추적레이더로 하여금 유도탄 추적 펄스 송신을 중단시킴으로서 유도탄 내부 자폭 기능이 동작한다.

㉰ 사격통제용 콘솔의 운용자가 자폭스위치를 누른 경우 유도탄에 자폭명령이 송신되고 즉시 폭파된다.

㉱ 유도탄이 추적레이더의 빔 범위를 벗어난 경우 유도탄이 갖는 자폭 기능에 따라 통신이 두절된 후 0.9초 후 자폭된다.

다) 수송/유도탄 장착모드(Transportation/missile Loading)

유도탄 다발을 발사터렛에 장착하거나 발사터렛으로부터 탈거할 경우에 선택한다. 체계 이동준비를 위한 운용절차와 유도탄 탈거를 위한 운용은 주로 레이더통제용 콘솔에서 수행된다.

라) 자체점검 모드(BUILT IN TEST)

운용자가 서브시스템의 GO/NO GO를 판단하기 위하여 선택하는 모드로 자체점검(BIT) 프로그램을 구동시켜 서브시스템을 점검한다. 이 모드를 선택하며 체계 전체의 자체 점검이 순차적으로 진행되며 최종 결과가 레이더 통제 콘솔에 표시된다.

마) 점검모드

점검 모드는 부대정비자 또는 상급부대 정비요원이 체계의 정상 여부를 판단하고 고장 부위를 탐지하거나 체계를 정렬 조정하기 위하여 선택하는 모드이다. 레이더통제용 콘솔이 점검 모드에서 제공하는 세부 점검 메뉴들은 정비단계에 따라 수행 여부가 결정되어 있다. 따라서 정비할당표에 따라 인가되지 않은 세부 점검 메뉴를 선택하여 실행시켜서는 안된다. 사격통제용 콘솔에서 제공하는 점검 메뉴들은 사격통제장치의 구성품들과 유도탄 및 유도탄 시뮬레이터의 점검을 위한 메뉴들이다.

다. 구조 및 기능

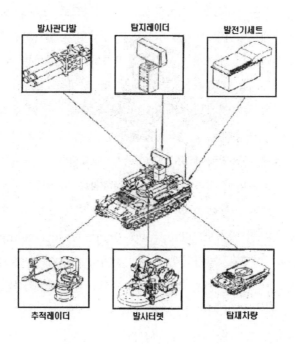

발사관다발   탐지레이더   발전기세트

추적레이더   발사터렛   탑재차량

그림 4.31 천마 체계도

1) 유도탄

유도탄의 구성은 조정장치, 탄두 및 신관, 추진기관, 작동기 지령수신기 그리고 전방날개 및 조종날개로 구성되어 있으며 유도탄 앞부분은 공기 항력을 최소화시키기 위해 Von-Karman형상으로 되어 있다. 유도탄은 지상에서 송신하는 유도명령을 지령수신기에서 수신하고 조종장치 컴퓨터에서 명령을 판독하여 조종날개 구동명령을 작동기로 보내 유도탄 탄도를 조종한다.

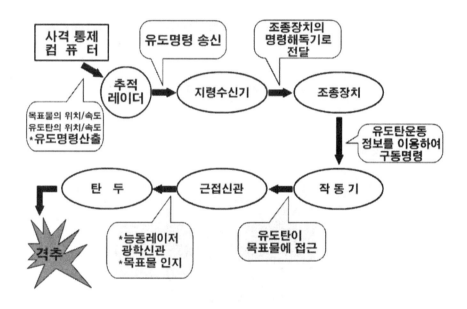

그림 4.32 유도탄 작동원리

2) 탐지추적장치

가) 표적의 탐지, 위협평가 및 탐지간 추적수행

나) 탐지된 표적중 선태된 1개 표적추적

다) 유도탄의 추적 및 원격조정

라) 전자 방해 방어책(ECCM)의 적용

마) 탐지영역 내에 있는 표적에 대한 피아식별

그림 4.33 탐지 및 추적장치

3) 사격통제 장치

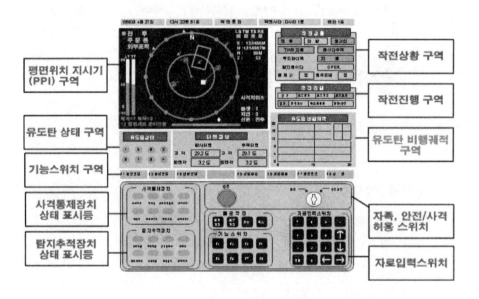

그림 4.34 사격 통제용 콘솔

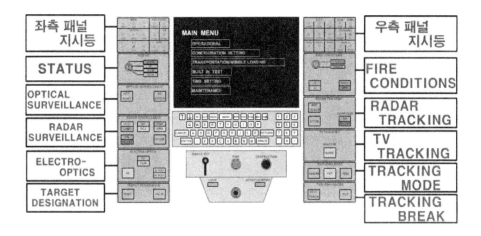

그림 4.35 레이더 통제용 콘솔

유도탄을 목표물에 정확하게 유도하기 위하여 필요한 사격 제원을 계산하여 유도탄에 입력시키며 발사를 위한 제반 절차와 발사 후에도 탐지 추적장치로 부터 입력되는 표적 정보와 유도탄 정보를 이용, 유도명령을 계산하고 추적 레이더에서 방사되는 빔에 유도신호 정보를 실어 유도탄을 유도한다. 그리고 발사 진행 과정과 유도탄이 목표물에 유도되는 과정을 확인한다.

4) 탑재차량

단거리 지대공 유도무기 체계를 탑재하고 1명의 조종수와 3명의 승무원이 탑승, 운용하는 궤도형 장갑차량이다.

5) 체계 부수장치

체계를 운용하기 위한 전력장치, 육상장치, 육상차량용 항행세트, 무전기세트 공기 조절기 등으로 구성되어 있다.

라. 작동원리

1) 초기유도 단계

천마의 발사터렛과 추적레이더는 동일 축선 상에 있지 않으므로 유도탄 발사 초기에 탄은 추적레이더 빔 밖에 위치하게 된다. 유도탄이 발사된 직후부터 탄이 추적레이더 빔 폭 내어 들어 올 때까지의 단계를 초기유도단계라 하며 적외선 측각기를 사용하는 제어단계이다. 이 기간동안에는 시계가 넓은 적외선 측각기를 사용하여 탄의 위치를 추적하고 탄도수정 명령은 추적레이더 보조안테나를 통해 송신한다. 추적레이더 빔 폭내로 진입하기까지는 대략 발사 후 0.3초~2.5초 정도가 소요된다. 적외선 측각기는 유도탄에서 방출되는 적외선을 감지하여 유도탄의 위치를 파악하는 장비로 근적외선 대역(1~3㎛)을 감지하며 상하 좌우 약 10° 정도의 시계를 가진다. 유도탄에서 방출된 적외선은 적외선 측각기 렌즈를 통하여 거울에 반사되어 검출기 셀에서 감지되는데 수십 개 셀 중에서 신호를 감지한 셀이 어느 것인가를 보면 방위각을 알 수 있다. 또한 거울은 고각 방향으로 ±5° 범위를 빠른 속도로 반복하여 움직이는데 검출기 셀에 신호가 검출되는 순간의 거울 각도로부터 고각이 구해진다. 이러한 방위각과 고각 정보는 사통장치에서 유도 명령이 발생되어 추적레이더 보조안테나를 통해 유도탄으로 송신된다. 적외선 측각기와 추적레이더 보조안테나는 추적레이더 시계범위 내에 유도탄이 들어올 때까지 0.5~2.5초간 유도탄의 로켓이 발생하는 적외선을 추적 작동한다.

2) 본 유도 단계

추적레이더를 이용하여 유도탄을 유도하는 단계로 유도탄이 추적레이더 빔 폭 내에 들어오는 시점부터 유도탄이 표적을 격추할 때까지이다. 천마는 시선유도방식(CLOS)으로 유도되는데 이 방식은 발사점에서 추적레이더를 통해 유도탄과 표적이 일직선상에 위치하도록 유도하는 것이다. 천마 추적레이더는 파라볼라 안테나의 초점에 4개의 급전혼(Feed Horn)을 설치하여 빔을 송수신하는데, 표적이 4개의 빔 정중앙에 위치할 때 4개의 수신신호가 동일한 진폭을 가지게 되고 중심에서 벗어날 경우 수신신호의 세기도 각기 다르게 나타난다. 따라서 한번의 신호 수신으로 거리계산과 방위각 및 고각 오차 추적이 가능하다. 따라서 유도탄이 표적과 추적레이더가 형성하는 조준선 정 중앙에 있는지를 지속적으로 측정하고 레이더가 지향하는 조준선으로 들어오도록 사격통제장치에서 모든 유도명령을 산출하고 명령하며 유도탄은 무선조종 비행기처럼 움직이게 된다. 이러한 방식을 3점 유도라하며 전체적인 궤적이 타원을 그리며 비행하게 된다.

마. 검사정비

1) 자체점검(BIT: BUILT IN TEST)

천마는 장비의 정상여부를 자체점검 할 수 있는 기능을 가지고 있으며 레이더통제용 콘솔의 점검모드 스위치와 모니터를 통해 점검이 가능하다. 점검 기능은 부대정비자 또는 상급부대 정비요원이 체계의 정상 여부를 판단하고 고장 부위를 탐지하거나 체계를 정렬 조정하기 위하여 선택하는 모드이다. 레이더통제용 콘솔의 점검 모드에서 제공하는 세부 점검 메뉴들은 정비단계에 따라 수행 여부가 결정되어 있다. 사격통제용 콘솔에서 제공하는 점검메뉴는 사격통제장치의 구성품과 유도탄 및 유도탄 시뮬레이터의 점검을 위한 메뉴들이다.

운용자가 서브시스템의 정상여부를 판단하기 위하여 선택하는 모드로 자체점검(BIT) 프로그램을 구동시켜 서브시스템을 점검한다.

이 모드를 선택하면 체계 전체의 자체점검이 순차적으로 진행되 최종 결과가 레이더 통제 콘솔에 표시된다.

2) 유도탄 발사 기능이 비정상일 경우 점검사항(유도탄 발사조건)

가) 레이더 통제용 콘솔의 "COMBAT/TRAINING" 스위치가 "COMBAT"위치에 있어야 한다.

나) 발사 스위치가 눌러져 있어야 한다. 따라서 발사 버튼은 최소한 0.1초 이상을 누르고 있어야 한다.

다) 소프트웨어적으로 점검하는 모든 발사조건들이 정상이어야 한다. 발사 신호선이 연결하는 소프트웨어 조건들은 다음과 같다
① 차량의 출입문이 닫혀져 있어야 한다

② 탐지레이더의 "STATUS"스위치가 " OPER"위치에 있어야 한다.

③ 발사터렛 및 추적터렛의 고각 구동모터에 전원이 인가되어야 한다.

④ 표적 추적이 확인되어야 한다.

⑤ 추적터렛과 발사터렛의 고각제한 스위치가 개방(Open)되어 있어야 한다.

⑥ 표적이 사격금지 구역 밖에 있어야 한다.

⑦ 추적레이더가 정상이어야 한다.

⑧ 추적레이더 지령송신장치가 정상이어야 한다.

⑨ 측각기의 시계(FOV:Field of view)내에 태양이 없어야 한다.

⑩ 추적터렛의 최대속도가 소프트웨어 적으로 세트된 속도보다 작아야 한다.

⑪ 추적터렛의 고각이 소프트웨어적으로 설정된 각도 보다 작아야 한다.

⑫ 사격통제용 콘솔이 발사가능 상태이어야 한다.

바. 점검사항

1) 레이더통제용 콘솔

가) 주배전상자의 oper(운용) 녹색 표시등 점등 여부(미점등시 비정상)

나) 충전기 servo ready 표시등 미점등

다) 기타 구성품 표시등 점등 여부 확인

2) 탐지/추적장치

TV 모니터에 "BACK UP MODES"(기능 저하 운용모드 제시)화면 또는 "BUILT-IN TEST RESULT FAIL"(자체점검 고장 결과) 화면 전시여부 확인

3) 사격통제장치 자체점검

자체점검 결과 사격통제용 콘솔화면에 "자체점검 완료" 메시지 미전시 여부 확인

4) 추적단계

TV 모니터상에 "EQUIPMENT FAIL"(장비고장) "NO MSL MISSILE"(유도탄 미장전) 메시지 전시레이더 통제용 콘솔화면에 "EQUIPMENT FAIL"(장비고장)

"NO MSL MISSILE"(유도탄 미장전) "BEACON NOT READY"(비콘 준비 안됨) 메시지 전시여부 확인

5) 유도탄

가) 사격통제용 콘솔에 유도탄 상태 표시가 적색 표시 여부
나) 발사 스위치를 눌렀을 때 유도탄의 상태표시가 흰색에서 적색으로 변하면 비정상
다) 사격 후 화염이 발생되지 않고 유도탄 상태표시가 적색으로 깜빡이면 비정상

6) 사격통제용 콘솔

가) 캐비넷 상부의 송풍기가 도는가 확인
나) 콘솔 감시기 화면에 아무 표시도 나타나지 않는가 확인
다) 콘솔 감시기 화면이 일그러지거나 색상 비정상 여부
라) 기타 화면에 불량 메시지가 나타나는지 확인

7) 주 배전 상자

"준비등", "24V BAT", "예열등", "상태등" 녹색표시등 미점등 여부

4.3 지대지 유도무기

4.3.1 227밀리 다련장 로켓(MLRS)

어네스트죤(M386A1 762mm) 로켓은 비교적 구형장비임에도 불구하고 국내 보유 지대지 로켓무기 중 가장 큰 대형 탄두를 사용할 뿐만 아니라 폭발력이

TNT 40KT에 해당되는 핵탄두를 운반 할 수도 있으므로 파괴력 면에서는 대단히 우수한 장비이다.

그림 4.36 227 밀리 다련장로켓

이 로켓은 무유도 자유비행 방식이므로 야포와 같이 간접조준점에 의한 사격을 실시하며 사격 후 로켓탄은 발사 전 지향된 방향으로 포물선을 그리며 날아가게 된다. 로켓탄 추진체는 고체 1단이며 고저각 106.66~1066.66mils (6o~60o)까지, 선회각 구동 범위는 266.66mils(15o)이다. 추진 로켓은 연소가 다 된 후에도 탄두와 함께 목표까지 날아간다. 로켓탄은 발사 후 탄도 안정을 위해 회전을 하는데 로켓모터의 상단부에 있는 스핀 로켓에서 탄을 우측으로 회전시키는 회전력을 발생한다. 발사대는 5톤 새시 트럭에 장착되어있다. 발사대의 구성품은 발사빔 결합체, 고저장치 결합체, 평형기 결합체, 선회장치결합체, 상부포가 결합체, 하부포가 결합체, 데크 결합체, 좌우수평결합체, 안정잭결합체, 뒷 흙받이와 플랫폼결합체이다. M270 다련장 로켓 발사대는 227mm로켓탄 및 607mm 단거리 전술지대지 유도탄(ATACMS)을 발사할 수 있으며 장차 신규 개발될 다양한 구경의 로켓 또는 유도탄을 사격할 수 있는 융통성을 가지고 있다.

ATACMS 및 227mm 대구경 다련장은 소련군 전차부대를 제압하기 위해 NATODP 배치된 LANCE 단거리 유도탄의 대체 장비로 미국 Lockeed Martin 가에서 1985년 개발하였으며, 1991년도 전술핵 전면 폐기조치에 따라 재래식 중(단)거리 유도무기로 양산된 비 핵탄두 유도탄이다.

발사대는 상부포가 위해 발사케이지가 설치되어있고 케이지 내에 포드(POD)를 장전하게 되어있다. 포드(POD)는 탄 저장용기이고, 발사대 케이지에 장전시 발사관으로 사용되며 사격 후 폐기된다. POD내에는 나선형 돌출부가 있어 탄을 회전시키고 철우라고 부른다.

· 승무원은 3명이 탑승하며 완전 궤도형 차량으로서 경장갑으로 방호된다.

· 사격통제시스템이 탑재되어 있어서 사격제원이 자동으로 장입되며 핵, 생물, 화학무기로부터 방호되어 있다. MLRS 이외에도 장래에 개발되는 각종 미사일의 사격이 가능하다. ATACMS는 자율화 유도장치를 갖춘 전천후 미사일이다. 그 구조는 유도부, 탄도부, 추진부, 제어부로 구성되어 있다.

개량형 M270A1은 사격통제시스템과 발사통제 시스템이 개량되어 재장전 시간이 45% 단축되고 발사까지 시간은 현 93초에서 16초로 단축되었다. 유도탄은 현재 사용목적 및 사정거리의 장단에 따라 2가지 타입이 있다. 사정거리가 짧은 블록Ⅰ형과, 사정거리를 2배로 확장한 블록 ⅠA형이 있으며, 블록Ⅱ의 경우 사정거리가 35~140㎞이며 블록ⅡA형은 사정거리가 100~300㎞로 대전차유도탄인 BAT를 장착한다. 자탄 탑재형인 블록Ⅰ형은 텅스텐 합금으로 만들어진 M74자탄 APAM을 내장하고 있으며 950개의 자탄이 500평방미터의 범위를 초토화시킬 수 있다. 다련장 로켓 발사대(MLRS)는 로켓 및 미사일 발사 구성품으로, 로켓포드(RP)에 장전된 로켓을 발사하고 미사일 발사관 결합체(M/LPA)에 들어 있는 미사일을 발사한다. 자주 발사기에는 두 개의 로켓포드, 또는 미사일 발사관 결합체가 있다. 로켓포드와 미사일 발사관 결합체는 흔히 발사포드/컨테이너(LP/C)라고 부른다. 발사포드/컨테이너라는 용어는 로켓포드 및 미사일 발사관 결합체를 의미한다. 자주 발사기는 로켓 발사대 M269와 관련 전자 사격통제장치 및 통신장치로 구성되어 있다. 로켓 발사대 (RL)는 운송차량 M933에 탑재된다. 로켓 발사대에는 자동 장전장치 (BUILT-IN SELF LOADING SYSTEM)가 들어 있다. 발사대 장전모듈은 로켓 발사대이다. 발사대 장전모듈, 자동 장전장치, 사격통제장치 및 이들의 구성품에 대해서 설명하고, 발사대 장전모듈 및 이들의 장치를 정비하기 위해 필요한 내용을 수록하였다. 또한 운송차량과 무선 통신 장비에 대한 내용도 일부 수록하였다.

그림 4.37 227 밀리 다련장로켓(개량형)

가. 특성

1) 전술 종심 표적 타격
2) 전천후 운용
3) 내장형 탄 장전 및 제거장치
4) 컴퓨터에 의한 조준 및 사격
5) 동일한 발사대로 로켓탄 및 유도탄 사격 (227mm로켓/607mm ATACMS)
6) 탄약 자동 장전
7) C3I 에 의한 표적 정보 획득 및 사격지휘 통제(디지털 통신)

나. 제원

1) 발사대

   가) 무게 : 26톤(전투중량)

   나) 출력 : 500 마력

   다) 전장 : 7m

   라) 전고 : 5.9m

   마) 주행거리: 480Km(68Km/h)

2) 발사속도 : MLRS-12발/분

ATCMS-2발/분

3) ATCMS

   가) 탄 무게 : 1670Kg

   나) 유도방식 : 관성

   다) 연   료 : 고체

   라) 무   장 : 2발

   마) 탄 길이 : 3.98m

4) 구경 : 227mm MLRS

607mm ATACMS

5) 사정거리

   가) ATACMS

      블록 Ⅰ(25~165Km/자탄950개)

      블록 ⅠA(75~300Km/자탄275개)

      블록 Ⅱ(35~140Km/M77자탄 518개)

      블록 ⅡA(100~300Km) : 자탄 분산형 탄두

      ① 로켓탄:10~45Km

      ② 자탄   :950 개(대전차 유도탄)

        ☞ Block Ⅰ: 인마살상용

          Block Ⅱ: 전차, 기동차량파괴

Block ⅠA: 인마살상 사거리연장탄

Block ⅡA: 대전차 사거리연장탄

6) 살상반경

가) ATACMS:500×500m

나) 로켓탄　:200×200m

다. 취급 장치대

1) 제원

제　　　원	M405A1
전　　　장	9.2m
전　　　고	3.6m
전　　　폭	2.6m
중　　　량	3.9ton
유압유 용량	3G/N

2) 특성

가) 견인식 트레일러

나) 유압식 인양기

라. 시스템 구성

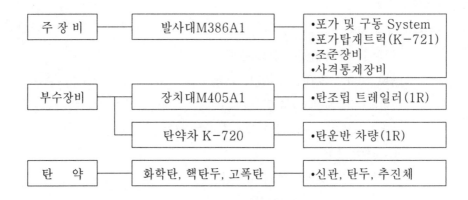

그림 4.3 시스템 구성도

1) 시스템 구성

그림 4.3과 같이 시스템 구성은 크게 주장비, 부수장비, 탄약 등으로 구분 할 수 있겠으며, 먼저 주장비로는 M386A1 발사대를 들 수가 있고, 발사대는 다시 포가 및 구동시스템, 탑재트럭, 조준 장비 및 사격통제장비로 구성되며 부수장비는 다시 장치대와 탄약차로 구분되고 탄약은 화학탄, 핵탄두, 고폭탄으로서 신관과 탄두, 추진제로 구성되어있다.

2) 상부포가

상부포가 구성품과 그 기능 설명으로 먼저 발사빔 결합체는 사다리형으로 용접된 구조물로써 762mm 로켓을 지지하여 로켓의 자유비상을 유도하는데 필요하다. 빔 결합체는 전면에 고저 스크류 결합체와 평형기 결합체로 지지되며 후미에는 포이 샤프트에 의하여 지지되어 있다. 빔의 주 부분은 뒷빔, 우측 앞 빔과 좌측 앞 빔이다. 앞 빔은 뒤로 접을 수 있어서 결합체가 축소되어서 운반 및 수송을 용이하게 한다. 뒷빔의 측면을 따라 설치된 여러 빔 구성품은 로켓 운반 결쇠결합체, 전기담요 소켓트, 로켓뒷정비 뭉치, A-프레임이다. 빔의 뒤에 부착된 것은 로켓 잭 결합체이다. 고저 장치 결합체 기어 계열은 차체 동력이나 상부포가 결합체의 각 측면에 위치한 손바퀴에 의한 수동으로 작용된다. 주 구성품은 고저 스크류 결합체 클러치와 기아하우징, 클러치 변속대 연결기, 손바퀴와 샤프트이다. 고저장치 결합체는 발사빔을 0에서 1244.44mils 까지 고저 시킬 수 있다. 평형기 결합체는 3개의 용수철이 장치된 튜브 뭉치로 구성되었으며, 이것은 발사빔 결합체에 대하여 위쪽으로 힘을 작용해서 빔 결합체의 불균형한 무게를 없애는데 도움을 준다. 이것은 또한 수동 고저시 힘을 덜어주는 작용을 한다. 각 튜브 뭉치는 상부포가 프레임의 바닥에 용접된 두 개의 지지기에 의하여 바닥에 지지되어 있다. 샤프트는 튜브와 고저 스크류 결합체의 위쪽을 뒷 발사빔에 연결한다. 선회장치 결합체는 상부포가 프레임에 장치되어 있다. 손바퀴를 회전 시키면 기아 계열과 샤프트를 작동시켜서 하부포가의 치간과 맞물리고 있는 선회 기어 샤프트를 작동시킨다. 편심 붓심은 기아 샤프트 위에 있으며, 기아집의 조정을 해서 치간과 물링 기어 샤프트의 적절한 유격과 작동을 완전하게 해준다.

3) 하부포가

먼저 하부포가 구조 및 기능분석으로서 하부포가는 상부포가를 지지 해주며, 차량과 발사대를 연결해주는 구조물로서 하부포가결합체와 좌우 수평장치, 안정잭, 하부 후방기어뭉치, 발판, 공구상자, 로켓탄 날개상자, 라쳇미끌림 클러치 등으로 구성되어 있었다. 기능으로는 상부포가 결합체와 좌우 선회 및 좌우수평의 작동을 원활하게 해주는 하부포가 결합체, 발사대 차량 중앙 프레임 하부포가 전방 거치대, 측면잭 우측 수동 핸들을 회전시켜 주는 좌우 수평장치와 자체 좌우측면잭과 차체 후방에 각각 1개의 잭이 설치되어 로켓탄 발사 시 발사대를 지면에 고정시켜주는 안정잭 결합체가 있다. 하부 후방 기어뭉치는 발사대 차량 몸체 후방에 설치되어 차량 동력을 90o로 전환시켜 고저 클러치에 동력을 전달하며, 발판 결합체는 발사대의 발판은 발사대 후방 좌, 우 승강 발판, 후방 휀다 전면발판 전방빔 조작 발판으로 구성되어 있으며, 전방 빔 조작 발판 아래 설치된 공구상자는 로켓탄 결박 부수기재 및 공구를 날개상자는 로켓탄 날개를 적재하여 훈련 중 운영하는 결합체로 구성되며, 라쳇 미끌림 클러치는 동력을 단속하여 발사대 고장발생시 동력 전달 계통을 보호하는 결합체로 구성되었다. 하부포가는 발사대를 차량에 탑재시키는 것을 가능하게 하며 작업수행을 위한 공간을 제공 해주는 기능을 가지고 있다.

4) M405A1 취급장치대

M405 / M405A1 취급장비는 붐형 크레인을 가지고 있으며, 용도는 1발의 탄을 조립, 운반, 장전까지의 탄약을 취급하는 장비이다. 구성품은 크게 선회빔 결합체, 유압장치 결합체, 새들 및 랜딩잭 결합체이다. 선회빔 결합체, 호이스트 결합체, 선회빔 구동 결합체로 되어 있고, 유압장치 결합체는 유압식 인양기(칼림) 결합체와 유압 조종기(판넬) 결합체로 되어 있으며, 새들 결합체(전, 중, 후), 렌딩잭 결합체, 빔 인양기(핸드링 빔), 안전 지주, A-프레임, 로켓탄 날개상자로 구성되어 있다.

5) 장비설명

가) 장비의 특성, 기능 및 형태

자주 발사기는 이동식, 자동 장전, 자주 발사 다련장 로켓 및 미사일 발사대로서, 포병 화력을 증강시키기 위해 사용된다. 자주발사기는 3명의 승무원이 탑승하여 발사 및 급작 사격에서 작동하도록 설계되어 있어서 은폐 장소에서 사격 위치까지 신속히 이동하여 로켓이나 미사일을 발사한 다음 신속하게 다음 사격 위치나 은폐 장소로 이동할 수 있다. 장전된 로켓이나 미사일을 다 소모하면 신속하게 재장전 위치로 이동할 수 있으며 자동장전 능력을 이용하여 몇 분 내에 재장전하여 다음 사격 장소나 은폐 장소로 전진할 수 있다. 자주 발사기 로켓은 발사포드/컨테이너 내에 들어있다. 로켓 발사포드/ 컨테이너에는 각각 6개의 비유도 자유 비행 로켓이 고정되어 있으며 이 로켓들은 공장에서 조립 및 시험하여 발사포드/컨테이너 기구의 유리 섬유 컨테이너에 삽입된다. 유리섬유 컨테이너는 저장 용기 및 로켓 발사관 역할을 한다. 미사일은 미사일 발사관에 들어있으며, 각 미사일 발사관에는 한 개의 미사일이 들어있다. 이 미사일들은 공장에서 조립 및 시험하여 사각 알루미늄 용기에 설치된다. 자주 발사기는 두 개의 주 유닛과 한 개의 사격통제장치(FCS)로 구성된다. 두 개의 주 유닛은 운송차량과 발사대 장전모듈이다.

① 운송차량은 무한궤도 차량으로서 비포장, 야지를 횡단할 수 있어서 사격 유닛에 기동성을 제공한다.

② 발사대 장전모듈은 상자 모양의 유닛으로서 두 개의 주요 부결합체인 케이지 결합체 및 받침대와 포탑 결합체로 구성된다. 자주 발사기가 장전되면 발사포드/컨테이너는 발사대 장전모듈 케이지 결합체 내부에 설치된다. 사격 임무 시 발사대 장전모듈 케이지 결합체를 목표물을 향하게 놓으면 로켓과 미사일은 목표지점에 조준된다. 발사대 장전모듈 케이지 결합체의 이동은 받침대와 회전포탑 결합체에 설치되어 있는 발사대 구동장치(LDS)라고 명명되는 유압 구동장치에 의해 조종된다. 발사대 구동장치는 사격통

제장치가 전자적으로 조종한다. 사격통제장치는 컴퓨터 조종장치로서 내장형의 전용 프로그램 컴퓨터가 들어 있다. 이 컴퓨터는 여러 종류의 로켓 및 미사일을 운용하도록 신속하게 프로그램 할 수 있다. 사격통제장치는 프로그램 된 데이터와 현재 임무 입력 데이터를 이용하여 사격 임무에 따라 필요한 탄도와 조준점 데이터를 계산한다. 발사대 장전모듈 자동 장전 장비도 사격통제장치로 조종된다. 사격통제장치의 입력 데이터는 수동과 자동으로 입력할 수 있다. 자동 입력은 디지털 부호의 음성 무선 메시지로 이루어지며 수동 입력은 조종 판넬에 있는 키보드로 입력한다. 프로그램 된 데이터는 프로그램 로딩 유닛(PLU)을 통해 카세트에서 입력한다. 사격통제장치에 로딩된 프로그램 데이터는 자주 발사기의 임무 할당 및 사용 무기에 따라 변경될 수 있다. 사격통제장치에는 안정화/위치결정장치 (SRP/PDS)가 설치되어 있어서 발사대 장전모듈의 안정화 및 위치결정 데이터를 사격통제장치에 제공하고, 진북 방향에 대한 방위각 기준과 수평면에 대한 고저각을 결정한다. 또한 운송차량의 방향 기준을 알려 주고 자주 발사기의 현재 위치를 결정한다.

나) 장비제원

① 일반 장비 제원(운용제원)

㉮ 승무원 3명 (조종수, 사수, 포대장/사격대장)

㉯ 로켓탄 12발 (발사포드/컨테이너 당 6발)

㉰ 미사일 2발 (미사일/발사포드 결합체당 1발)

다) 자주 발사기 제원

① 발사대 길이 6,832mm (22ft 6in)

② 장전모듈 길이 3,963mm (13ft)

③ 발사대 폭 2,972mm (9ft 9in)

④ 발사대 장전모듈 폭 2,616mm (8ft 9in)

⑤ 높이

㉮ 발사대 상단 (장착상태) 2,597mm (8ft 6in)

    ㉯ 발사대 상단 (완전히 올린 상태) 5,920mm (19ft 4in)

    ㉰ 발사대 장전모듈 최저 지상높이 1,372mm (4ft 6in)

    ㉱ 붐 최저 지상높이 2,591mm (8ft 6in)

라) 자주 발사기 중량

  ① 자주 발사기 미장전 상태 19.414ton (42,800 파운드)

  ② 자주 발사기 장전 상태

    (발사포드/컨테이너 2대) 24.039ton (52,990 파운드)

  ③ 자주 발사기 장전 상태

    (미사일 발사포드 결합체 2대) 23.782ton (52,428 파운드)

마) 자주 발사기 성능

  ① 작동 경사 제한 (로켓) 0~265mils 경사 (0~15o)

  ② 작동 경사 제한 (미사일) 0~89mils 경사 (0~5o)

  ③ 발사 지역 제한 36~1,067mils (2.03~60o)

  ④ 발사대 장전모듈 회전

    ㉮ 속도 90mils/sec (5o/sec)

    ㉯ 회전범위 : (장착위치에서 좌, 우 한계) 3,450mils (194o)

  ⑤ 발사대 장전모듈 고저각

    ㉮ 속도 15mils/sec

    ㉯ 고저각 범위 : 최대 1,067mils (60o)

  ⑥ 발사대 장전모듈 임무주기

    ㉮ 발사대 구동장치 210초 ON, 30초 OFF

    ㉯ 이동잠금 3회 ON, 6분 OFF, 3회 ON, 정상 부하 조건

  ⑦ 작동 온도 −32℃~+60℃ (−25℉~+140℉)

  ⑧ 붐 (2개)

    ㉮ 팽창/수축 속도 152mm/sec (5.98in/sec)

    ㉯ 팽창/수축 행정 4,662mm (15ft 4in)

    ㉰ 임무주기 30초 ON 이완, 120초 OFF,

      30초 ON 수축, 120초 OFF ; 시간당 12회

  ⑨ 인양기 (2개)

㉮ 상하 이동 속도 76mm/sec (2.99in/sec)

㉯ 상하 이동 거리 2,540mm (8ft 4in)

㉰ 사용율 30초 ON 하강, 30초 ON 상승,
   120초 OFF ; 시간당 18회

바) 자주 발사기 전기 장치

① 자주 발사기 축전기 (6개) 12V, 100A (24V 전원공급을 위해 직렬 및 병렬로 연결됨)

사) 자주 발사기 유압 장치 (LDS)

① 작동압력 3,000psi

② 유압유 MIL-H-46170, TYPE1

아) 자주 발사기 이동제한

운송차량의 운전실, 엔진 하우징 및 로켓 방호물이 발사대 장전모듈의 발사 각도를 제한한다. 사격통제장치가 이 범위 내에서 안전한 발사 각도를 계산하여 발사대 장전모듈의 발사 각도를 제한해 로켓을 안전하게 발사할 수 있도록 해준다. 아래 그림은 발사대 장전모듈의 발사 및 비발사 범위를 나타낸다. 비발사 영역으로의 발사는 사격통제장치의 안전장치에 의해 보호된다.

자) 발사대 장전모듈 구동 제한

① 운송차량의 베드, 엔진 하우징 및 상호 연결 케이블은 발사대 장전모듈의 구동을 안전하게 제한한다. 사격통제장치에는 발사대 장전모듈의 구동을 조종하기 위한 제한범위가 프로그램되어 있다. 또한 사격통제장치 제한 스위치에 결함이 생길 경우 발사대 구동장치를 차단하는 기계적 제한 스위치가 있다.

② 붐 조종기를 이용하여 E 지역을 제외한 사격통제장치 범위 내에서 발사대 장전모듈을 이동할 수 있다. 이 지역 내에서 붐 조종기는 발사대 장전모듈을 상승 및 하강시킬 수 있으나, 302mils 이하로는 낮출 수 없다. 붐 조종기 사용 시 사격통제장치 한계점에 도달할 경우, 발사대 장전모듈을 반드시 수동으로 한계점에서 벗어나게 해야 한다.

이동한계	기계적 한계	사격통제장치 한계
A	3,484	3,450
B	1,891	1,860
C	1,304	1,340
D	622	623
E	22	10
F	268	302
G	480	444
H	1,102	1,067
I		36

차) 자주 발사기의 재장전 위험 지역

발사포드/컨테이너를 전체로 재장전할 때, 자주 발사기의 균형이 매우 중요하다. 발사대 장전모듈의 위치에 따라 발사포드/컨테이너를 반드시 한번에 한 개씩 재장전해야 하는 곳이 있다. 아래 그림에서 음영부분이 이에 해당된다.

카) 자주 발사기의 발사 위험 지역

자주 발사기 주위는 발사로 인해 비무장 요원에게 치명적인 인명의 손상을 입힐 우려가 있는 위험 지역이 있다. 발사의 위험 요소로는 로켓추진제에서 나오는 파편, 소음 및 유독 가스가 있으므로 이 지역에 있는 요원은 반드시 위험을 인식해야 한다. 사격 상태에 따라 유독성 추진제 가스의 위치가 달라진다. 비무장 요원은 자주 발사기 쪽에서 부는 바람과 반대 방향에 있어야 한다. 만일 바람이 부는 방향으로 있어야 할 경우에는 유독 가스로부터 최대한 보호하기 위해 반드시 방독면을 착용해야 한다. 아래 그림은 통합 유도 장치가 있는 자유 비행 로켓 및 미사일을 포함하여 가능한 모든 다연장 로켓 무기의 발사 위험 지역이다.

타) 자주 발사기 발사 자세

자주 발사기 발사 자체는 발사대 장전모듈에 두 개의 발사포드/컨테이너를 장착시킨 상태로 한다. 발사대 장전모듈의 앞부분은 발사대 장전모듈에서 로켓이 발사될 때 발사포드/컨테이너가 방호될 수 있도록 설계되었다. 항상 발사대 장전모듈에 두 개의 발사포드/컨테이너가 장전된 상태에서 로켓을 발사한다.

만일 한 개에만 장전된 상태로 발사하려면 비어 있는 발사포드/컨테이너를 반드시 두 번째 베이에 장전해야 한다.

마. 운용 원리

1) 개요

자주 발사기는 발사유닛용 이동성 로켓 발사대로서, 2개의 주요 유닛과 사격통제장치로 구성된다. 2개의 주요 유닛은 운송차량과 발사대 장전모듈이다. 운송차량은 자주 발사기에 기동성을 제공하는 것이며 발사대 장전모듈이 실제 발사대이다.

2) 운용 원리

가) 발사대 장전모듈

발사대 장전모듈은 운송차량 베드에 설치되는 상자 모양의 구조물로서 두 개의 주요 부결합체인 케이지 결합체 및 받침대와 회전포탑 (TURRET) 결합체로 구성되어 있다. 받침대는 운송차량 베드에 직접 설치되어 있고, 회전포탑 (TURRET)은 받침대 윗면에 부착되어 있어 양방향으로 회전할 수 있다. 케이지 결합체는 포탑 윗면에 놓여 있어서 회전포탑 (TURRET)이 회전할 때 케이지가 함께 회전한다. 발사대 장전모듈의 이동은 발사대 구동장치로 조종하고, 발사대 구동장치는 사격통제장치로 조종한다.

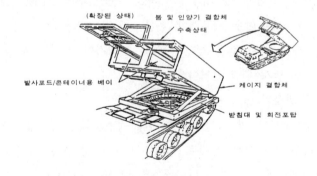

그림 4.38 발사대 결합체

① 케이지 결합체

케이지 결합체는 발사포드/컨테이너를 고정하고 있는 상자 모양의 구조물이다. 발사포드/컨테이너는 케이지 결합체 내부의 두 개의 베이에 끼워져 있다. 각각의 베이에는 붐과 인양장치가 있어서 발사포드/컨테이너를 장전하는데 사용된다. 붐과 인양장치는 수동 스위치인 붐 조종기를 이용해 사격통제장치로 조종된다. 붐 조종기의 스위치를 누르면 전기신호가 사격통제장치로 보내져서 사격통제장치가 붐과 인양장치로의 전원을 전자적으로 조종한다. 붐 조종기의 선택 스위치는 붐과 인양장치를 별도로 또는 동시에 조종할 수 있도록 되어 있다. 발사포드/컨테이너는 발사대 장전모듈에 장전되어 고정된다.

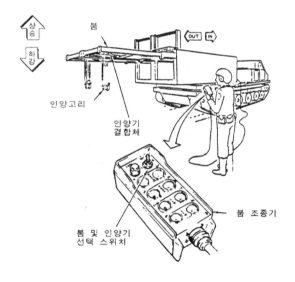

그림 4.39 케이지 결합체

측면 장착 위치에서 장전된 발사포드/컨테이너 두 개를 동시에 장착 또는 탈착해서는 안 된다. 자주 발사기가 균형을 잃어 전복되어 치명적인 인명 피해나 장비 손상을 초래할 수 있다.

㉮ 인양고리를 발사포드/컨테이너 무게중심에 위치한 인양로드에 건다.

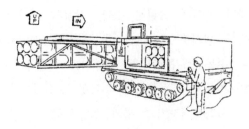

그림 4.40 인양장면(1)

㉯ 발사포드/컨테이너를 지정된 위치로 들어 올린다. 붐과 발사 포드 / 컨테이너는 발사대 장전모듈 케이지내로 들어간다. 발 사포드/컨테이너를 위치 결정 핀에서 25~50mm 정도 되는 곳 까지 내린다.

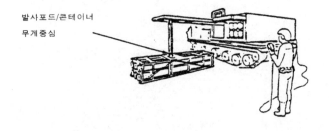

발사포드/콘테이너
무게중심

그림 4.41 인양장면(2)

㉰ 여러 종류의 탄두를 장착한 로켓과 미사일로 인해 발사포드 / 컨테이너의 무게중심이 변경될 수 있기 때문에 발사포드/컨테 이너 위의 인양 지점이 달라지게된다. 발사포드/컨테이너는 반드시 동일한 위치로 들어 올려져야 하며 인양기의 상부 풀 리 결합체는 반드시 인양 지점 변경을 고려하여 이동해야 한

다. 상부 풀리 결합체의 이동을 위해 수동 나사 및 크랭크 기구가 부착되어 있고, 크랭크를 사용하지 않을 때는 크랭크를 안전하게 접어둔다.

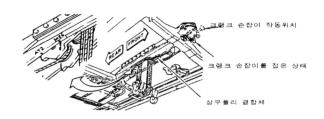

크랭크 손잡이 작동위치

크랭크 손잡이를 접은 상태

상부풀리 결합체

그림 4.42 상부풀리 결합체

㉣ 각각의 베이에는 발사포드/컨테이너를 제위치에 고정하는 수동걸쇠 결합체가 있다. 걸쇠 결합체의 손잡이는 각 베이 아래에 있는 발사대 장전모듈 후미에 위치한다. 손잡이가 잠김 위치에 있으면 3개의 고리가 상승하여 발사포드/컨테이너의 바닥을 건다. 이 고리는 발사포드/컨테이너를 제자리에 단단히 고정시키면서 케이지 프레임에 대해 발사포드/컨테이너를 아래로 당긴다. 걸쇠를 풀면 고리는 케이지 구조물 안으로 내려져서 발사포드/컨테이너를 풀어 놓는다.

㉤ 각각의 걸쇠 손잡이에는 안전고리와 체인이 부착되어 있다. 안전 고리는 잠긴 위치에서 손잡이 위에 끼운다. 발사대 장전모듈 케이지의 발사포드/컨테이너를 잠그면 걸쇠 결합체가 압력을 받으므로 걸쇠를 풀 때 손잡이에 힘을 주어 벗겨야 한다. 고리를 손잡이에 걸어 두면 손잡이가 움직이지 **않기** 때문에 사용자의 부상을 방지할 수 있다.

㉥ 장전된 발사포드/컨테이너가 걸쇠를 건 상태로 연결 와이어로프와 연결되어 있으면 인양기가 상승되지 않는다. 즉, 발사포드/컨테이너를 상승시킬 수 없다. 그러나 연결 와이어로프와 발사포드/컨테이너를 연결하지 않으면 인양기만 상승된다. 항

상 발사포드/컨테이너를 인양하기 전에 발사포드/컨테이너의 걸쇠가 풀렸는지 점검한다. 걸쇠가 걸린 발사포드/컨테이너를 인양하면 발사포드/컨테이너의 바닥 및 걸쇠 기구가 손상될 수 있다.

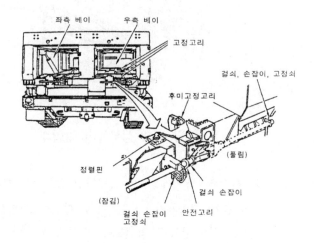

그림 4.43 인양고리 결합체

나) 사격통제장치

사격통제장치는 자주 발사기의 전술통제 장치이다. 무선 메시지로 받은 입력 데이터를 이용하거나 수동으로 입력하면 사격통제장치는 발사 문제를 계산하여 작전 지시 데이터를 표시한다.

그림 4.44 사격통제 장치

이 사격통제장치는 연산된 데이터를 이용하여 로켓 신관을 설정하고, 발사 방위각 및 고저각을 결정하여 탄두를 프로그램하고 발사대 장전모듈의 이동을 조종한다. 사격통제장치는 수동으로 작동되며 운송차량 승무원실에 위치한 사격통제 조종기(FCP)로 조종된다.

① 사격통제 조종기

사격통제 조종기는 스위치와 키보드를 이용해서 사격통제장치를 조정한다. 사격통제 조종기에는 사용자에게 운용절차를 안내하기 위해 운용지침과 데이터가 전자적으로 표시되는 디스플레이 판넬이 있다.

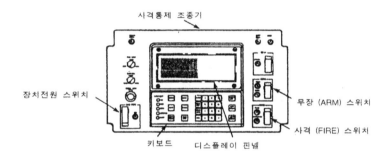

그림 4.45 사격통제 조종기

㉮ 모든 장치전원은 장치에서 유일한 전원 스위치인 사격통제 조종기의 장치전원 스위치로 조종된다. 전원은 초기 전원 인가 시 장치의 개별 구성품에 인가되거나 사격통제 장치 조종기를 통해 요구될 때 인가된다. 전원이 인가되면 사격통제 조종기 전면 조종판의 지시등이 켜진다.

㉯ 로켓 및 미사일 사격은 사격통제 조종기의 무장 (ARM) 및 사격(FIRE) 스위치로 조종된다. 로켓과 미사일 사격은 수동으로 실행되나 사격상태가 바르지 않으면 사격통제장치는 자동적으로 이 스위치를 억제한다.

㉰ 사격통제 조종기 디스플레이 판넬에는 사용자를 위한 지침 및

임무 데이터가 표시되며 표시되는 지침은 운용 루틴을 통해 사용자에게 알려준다. 디스플레이 판넬 아래에 설치되어 있는 키보드는 사격 통제장치에 데이터를 수동으로 입력하는데 사용된다.

② 통신

사격통제장치는 사격통제 조종기 키보드로 수동으로 입력한 데이터 및 무선 메시지로 수신된 디지털 입력 데이터를 사용하여 운용된다. 수신된 메시지는 사격통제장치로 자동 입력되어 승인되며 메시지를 수신하면 가청 경보가 작동된다. 사용자가 사격통제 조종기의 수신된 디스플레이 메시지를 승인하면 경보는 꺼진다. 자주 발사기와 포대(BTRY) 사격통제 센터 혹은 소대장/부대(PLT/TP) 사이의 메시지는 고정된 메시지 형태로 이루어져야 한다. 사용자는 메시지를 전송 하기 위해 사용자는 공란을 채워서 키보드 위의 키만 누르면 된다. 자주발사기에 관련된 모든 메시지는 통신 처리기를 통해 전자적으로 조종된다.

③ 시동

사격통제장치에는 프로그램 가능한 대량 저장 기억장치가 내장되어 있으며, 전기적인 특성으로 인해 일반적으로 버블 메모리로 명명된다. 대량 저장 기억장치를 프로그래밍하면 특정 로켓과 미사일에 대한 탄도 데이터 및 특정 무기와 사용되는 메시지 양식과 같이 반고정 프로그램 데이터가 입력된다.

사격 임무와 붐 조종 운용 루틴, 자주발사기의 일반운용 조종용 메시지 양식 등과 같이 모든 무기 형태에 대한 운용을 사용할 수 있는 운용 루틴도 포함된다. 대량 저장 기억장치를 프로그래밍한 후에 처음으로 시작할 때는 자주 발사기 위치 좌표, 무선 식별 기호, 케이지 식별 일련번호와 같은 모든 운용데이터를 다시 입력해야 하며, 일단 입력한 후에는 무선 메시지 입력이나 수동 입력으로 변경되거나 사용자가 삭제하기 전까지는 모든 데이터가 기억장치에 보관된다. 처음 시동한 후에 운용을 시작하려면 정확한 시간을 입력하고, 저장된 운용데이터를 점검하여 장치 정지 시 변경된 것이 있으면 그 내용을 입력하면 된다. 자주 발사기 위치데이터가 정확하게 입력되었는지 항상 확인해야 초기 정렬을 완료했을 때 안정화/위치결정장치 출력이 정확한지 알 수 있다.

바. 예방정비

1) 일일정비

점 검 장 소	정 비 요 령

발사대
장전모듈 외부
	(1) 점검요령
	  (가) 손상, 변형, 부품 망실여부 육안 검사
	  (나) 연간 안전하중시험일자 육안검사
	
	(2) 정비요령
	  (가) 연간 하중시험 일자 도래시 정비부대에 정비 의뢰한다.

전원점검 및
시동점검
	(1) 점검요령
	  (가) 엔진 시동후 전압게이지 확인
	  (나) 엔진 시동후 통신장치 전원 연결상태
	  (다) 사격 통제장치의 전원 연결상태
	  (라) 사격 통제장치를 실행함으로써 입력된 메뉴 확인
	
	(2) 정비요령
	  (가) 제네레다 및 밧데리를 점검후 교환한다.
	  (나) 미 작동시 정비부대에 정비의뢰한다.

점검장소	정 비 요 령
감지기 점검	(1) 점검요령 　(가) 엔진 시동후 방위각 ±1.8mils 고각 ±2.0mils 판독되는지 　　　여부검사 (2) 정비요령 　(가) 방위각 및 고각 불일치시 정비부대에 정비 의뢰한다.
축전지 (밧데리)	(1) 점검요령 : 축전지 균열 및 터미널, 전해액 상태 점검 (2) 정비요령 : 균열 발견시 축전지를 교환한다.
위치결정 장치 갱신	(1) 점검요령 　(가) SCP선택 후 사격통제 장치 데이터 베이스에서 UPDATE 　　　LOCATION 선택 후 차례로 3번, 2번, 1번 MENU를 선택하 　　　면 UPDATE LOCATION 필드가 표시 되는지 확인 　(나) SCP에 0을 입력 STORE 키를 누르면 PDS UPDATE 필드가 　　　표시되는지 확인 (2) 정비요령 : SRP / PDS 또는 FCP를 교환한다.
연결선 (W19 / 20 케이블)	(1) 점검요령 　(가) 연결선 외피 파손, 배선 노출, 케이블 콘넥터 어뎁터의 파손 　　　및 핀상태 검사 (2) 정비요령 : 케이블을 교환한다.
유압라인 및 발사대 구동 장치 구성품	(1) 점검요령 　(가) 구성품 유압 선회 결합체, 고각 및 방위각 구동모터, 고각 　　　및 방위각 유압밸브 모듈, 열교환기, 유입유 공급장치, 유압 　　　라인, 고저 변속기의 유압유 누출 여부 점검 명확히 보기 위해 발사대 장전모듈 제거 유압선회 결합체 고저 구동모터 및 유압밸브 모듈 방위각 구동모터 및 유압밸브 모듈

점 검 장 소	정 비 요 령
인양, 붐 수축(IN) 및 신장(OUT) 제한 스위치	(1) 점검요령 : 각 스위치와 플린져결합체 작동상태 육안 검사 제한 스위치 결합체 프랜져 결합체 ↑ 수축 ↓ 신장 (2) 정비요령 　(가) 정상 작동하지 않을시 정비부대에 정비 의뢰한다.
붐, 신장 (OUT) 작동기 조종상자 및 결합체	(1) 점검요령 　(가) 조종상자의 케이블 및 결합체의 이물질상태 육안검사 붐 신장 작동기 (각 베이에 2개) (2) 정비요령 　(가) 수입 및 그리스를 재 주입한다.
고각 작동기 기어 하우징	(1) 점검요령 　(가) 기어오일 누유상태 및 파손여부 검사 고저 작동기 기어 하우징 회전포탑 (2) 정비요령 　(가) 누유된 기어오일을 수입한다. 　(나) 오일수준 확인 후 보충한다.

제4장 국내 무기체계 ▶▶▶ 161

점 검 장 소	정 비 요 령
방위각 구동 및 고저 구동장치	(1) 점검요령 : 유압유 누유상태 육안 검사 명확히 보기 위해 제거한 회천 고저상승각 구동유닛 방위각 감속장치 (2) 정비요령 : 유압유를 확인 후 재 보충한다.
인양기 결합체	(1) 점검요령 (가) 케이블 외부 손상상태, 인양기 플렉시블 케이블 상태, 인양기 풀리 위치결정 결합체 상태 검사 플렉시블 케이블 덮개 인양기 케이블 (2) 정비요령 : 외부 손상이 있을 시 정비부대에 정비 의뢰한다.
폭풍 방호문 롤러 및 힌지	(1) 점검요령 : 롤러의 회전상태 및 이물질 상태 검사 폭풍방호문 롤러 힌지 (2) 정비요령 : 롤로 및 힌지를 수입한다.

점 검 장 소	정 비 요 령
케이지 하강 제한 스위치 267mils(15°), 480mils(27°), 22.2mils (±1.25°)	(1) 점검요령 　(가) 각각의 제한스위치의 상태 검사 (2) 정비요령 　(가) 각각의 제한스위치의 정기적 검사 후 비정상작동시 정비 　　부대에 정비지원을 의뢰한다.

2) 주간정비

점 검 장 소	정 비 요 령
축전지 (밧데리)	(1) 점검요령 　(가) 축전지 상자의 이물질 및 전해액, 터미널 상태 검사 (2) 정비요령 　(가) 이물질 제거 및 증류수 보충, 터미널 재조임 확인한다.
발사포드/ 컨테이너 장착패드 및 중심핀	(1) 점검요령 　(가) 각각의 베이에 있는 패드와 중심핀 상태 검사 (2) 정비요령 　(가) 손상된 패드 및 중심핀 발견시 정비부대에 정비지원 의뢰 　　한다.

점 검 장 소	정 비 요 령
붐	(1) 점검요령 　(가) 분리기 스트립, 슬라이드 버튼 중간빔, 고정빔, 슬라이드 　　　버튼 등 상태검사 (2) 정비요령 　(가) 분리기 스트립 파손 및 슬라이드 비트 2개 이상 망실시 정 　　　비부대에 정비지원 의뢰한다.
고저속기	(1) 점검요령 : 상태 및 누유여부 검사 (2)정비요령 　(가) 유압물 누유발견시 마른 걸레를 이용하여 수입 후 유압유 　　　재보충 　(나) 이상 발견시 정비부대에 정비지원 의뢰한다.

3) 월간정비

점 검 장 소	정 비 요 령
유압유 수준	(1) 점검요령 (가) 유압유 표시기 상태 확인 (2) 정비요령 (가) 유압유 보충장비를 이용하여 유압유를 보충하거나 유압유를 뽑아낸다. * 한번 사용한 유압유는 재사용 하지 않는다.

점 검 장 소	정 비 요 령
고저 변속기	(1) 점검요령 : 손전등을 통해 클러치마모 상태 검사 (2) 정비요령 (가) 비정상마모 발견 시 정비지원시설 정비 의뢰한다. * 고저변속기는 무거운 하중을 버티는 부속품이므로 이상 발견 시 정비부대에 통보한다.

4) 분기정비

점 검 장 소	정 비 요 령
고저 작동기 볼나사 너트 및 그리스 주유	(1) 점검요령 　(가) 고저 작동기는 무거운 하중을 버티는 구성품이므로 반드시 분기 1회 이상 피스톤의 이물질이 있는지 점검한다. 　　　　　　　　　　　그리스 피팅 (2) 정비요령 　(가) 사격통제 조종기(FCP), 붐조종기(BC) 및 수동으로 고각 (EL)을 약 400mils(22.5°)로 위치시킨다. 　(나) 수입포로 그리스를 깨끗이 닦은 후 그리스가 나올 때까지 주유한다. 　(다) 과도한 윤활은 내부 봉합체를 손상시킬 수 있다.

점 검 장 소	정 비 요 령
붐랙 및 피니언 기어	(1) 정비요령 　(가) 붐기어 및 피니언 기어는 반드시 분기 1회 그리스를 모두 제거 후 재주유한다. 　잠금장치　　붐 기어　포가 기어　페인트 솔　수준/주입 플러그 (2) 정비요령 　(가) 붐조종기를 이용하여 발사포드/컨테이너(LPC)를 밖으로 최대한 신장시킨다. 　(나) 전원 S/W OFF한 다음 그리스를 기어에 주유한다. 　(다) 솔로 그리스를 골고루 솔질한다.

5) 반년정비

점 검 장 소	정 비 요 령
발사포드/ 컨테이너 인양기	(1) 점검요령 　(가) 누유여부, 배출 플러그, 잠금철사 수준 / 주입플러그 배출 　　　상태 점검 (2) 점검요령 　(가) 누유흔적 발견 시 솔벤트를 이용하여 수입한다. 　(나) 오일은 반년 1회 반드시 교환한다.

점 검 장 소	정 비 요 령
방위각 구동 감속기	(1) 점검요령 　(가) 손전등을 이용 4개의 방위각 구동 감속기 설치너트와 와셔 　　　에 적용된 토크 표시줄 검사 (2) 정비요령 　(가) 토크 표시줄의 뒤클림 발견시 정비부대에 정비를 의뢰한다.
고저 작동기 회전방지 키	(1) 점검요령 　(가) 자를 사용하여 키 폭이 9.00mm 이상 여부 검사 틈새 : 9.00mm 이상 포가기어 붐 기어 (2) 정비요령 　(가) 9.00m이상 마모시 정비지원시설에 정비의뢰 한다.

6) 연간정비

점 검 장 소	정 비 요 령
붐 볼너트 구동 결합체	(1) 점검요령 　(가) 붐 볼너트 구동 결합체에 이물질 및 그리스 상태점검 그리스 피팅 (2) 정비요령 　(가) 발사대 장전모듈을 180° 회전 　(나) 그리스를 주유한다.
발사포드 및 컨테이너 인양기	(1) 점검 및 정비요령 　(가) 반드시 분기 1회 이상 방위각 기어 베어링 세척 및 그리스를 재 주유한다. 　(나) 발사대 장전모듈을 180° 회전한다. 　(다) 축전지와 축전지 상자 제거한다. 　(라) 방위각 기어 베어링 세척 및 그리스를 주유한다.
고저 작동기 기어 하우징	(1) 점검 및 정비요령 　(가) 고저작동기는 발사대를 고저로 이동하는 구성품이므로 무거운 하중을 버티고 있으므로 반드시 분기 1회 오일을 교환한다. 　(나) 발사대 장전모듈을 90° 회전한다. 　(다) 기어오일 (MIL-G-2105) 교환한다. 고저 작동기 기어 하우징 배출통 배출 플로그

점 검 장 소	정 비 요 령
방위각 기어 베어링	(1) 점검 및 정비요령 　(가) 발사대 장전모듈을 180˚ 회전한다. 　(나) 축전지와 축전지 상자를 제거한다. 　(다) 방위각 기어 베어링 세척 및 그리스를 주유한다.
방위각 구동 감속기	(1) 점검 및 정비요령 　(가) 발사대 장전모듈을 90˚ 회전한다. 　(나) 기어오일 (MIL-G-2105) 교환한다.

4.3.2 현무

가. 특성

1) 전술 종심 표적 타격

2) 전천후 운용

3) 고폭 분산 탄두

4) 관성 항법 유도방식

5) 주요장비 복합설계(작전불능최소화)

6) 원격 사격 통제

7) 고체 2단 추진

8) 전파 방해 무관

9) 기동성 우수

10) 이동 및 설치 용이

나. 제원

1) 발사대무게 : 27600Kg

2) 탄 무게　　: 5450Kg

3) 탄두무게: 421~626Kg(전체:626/HE: 421)

4) 높이　　 : 직립빔 상승시 : 9.1m, 직립빔 하강시 : 3m

5) 탄 길이 : 11.92m

6) 상승고도: 29±2Km

7) 발사각도: 85°

8) 사정거리 : 100~180Km

9) 정확도　 : 1mils 이하

10) 탄두　　 : 자탄 분산형　0000±10개

11) 속도　　 : 1394 m/s(4.1 mh)

12) 살상반경 : 400×600m

다. 운용

1) 운용방법

현무발사는 포대 통제소로부터 각 발사기의 발사통제기를 통해 수행된다. 포대 통제소는 유도탄을 목표지점까지 정확히 유도하기 위하여 필요한 사격제원을 계산하여 발사통제기를 통해 유도탄의 관성유도장치에 입력시키며 발사 진행 과정을 통제, 감시, 확인하여 최종적으로 발사신호를 제공하며 3발의 유도탄을 동시에 통제함으로서 동시에 수분 간격으로 3발을 발사할 수 있다.

2) 제한사항

사격시 1차 추진 로켓의 분리에 의한 우군 피해 가능(발사각 85°)

라. 현무 구조 및 기능

현무 시스템은 포대통제소, 발사통제기, 발사대로 구성된다.

1) 현무 포대 통제소

사격통제를 위한 작전 장비들이 설치된 사격통제소와 사격 통제소에 교류전원을 공급하는 발전기 트레일러 및 전원 케이블로 구성 사격통제소는 탑재차량/발전기 트레일러/밴(쉘터)/밴 내부에 탑재된 전자장비 들로 구성된다.

포대 통제소는 최대 3개의 발사대를 통제할 수 있고 각 발사대에 적재된 3발의 유도탄에 대하여 사격제원 계산과 관성유도장치 제어 및 발사 진행 과정을 동시에 통제, 감시, 확인함으로서 3발의 유도탄을 수분 간격으로 발사할 수 있다.

모든 장비는 차량에 탑재된 상태로 운용이 가능하도록 제작되어 이동 및 설치가 용이하다. 또한 장비 고장시 복구 시간을 최소화하고 신뢰도를 증가시키기 위하여 주요 장비는 2세트씩 설치되어 있다.

2) 현무발사통제기(TSW-87K : K9(2)-1440-301-13/P)

포대통제소로부터 제원 케이블을 통해 명령을 받아 유도탄에 발사 전 제원 입력 및 전원을 공급하여 유도탄의 발사 전 필요조건을 부여하고 발사대, 전자냉각장치, 추진 장치 작동 등을 제어하며 유도탄 상태, 발사대 준비상태, 인원 안전 상태 등 발사 조건을 감시 점검하여 포대 통제소로 알려 발사 통제를 할 수 있게 한다.

발사통제기는 하나의 포대 통제소와 연결이 가능하다. 하나의 발사대, 유도탄, 전자냉각장치, 전원공급기 등과 연결이 가능하고 한번에 하나의 유도탄을 발사 통제할 수 있다. 모든 발사통제 기능은 마이크로프로세서 시스템이 내장되어있는 제어 프로그램이 수행한다.

가) 주요기능

① 포대 통제소와 데이터 통신

② 포대통제소와 전화기로 유선 통신

③ 경고방송 : 증폭기가 장착되어 전화 통화내용 및 경고 사항을 확성기로 출력, 발사대 지역 요원들에게 알림

④ 유도탄 외부 전원 공급 및 전류 감시

⑤ 관성유도장치 전원 공급

⑥ 조종 장치 전원 공급

⑦ 전자 신관 전원 공급

⑧ 송수신 장치 전원 공급

⑨ 관성유도장치와 데이터 통신

⑩ 관성유도장치 작동 제어/상태 감시

⑪ 훈련형태 점검 및 표시

⑫ 탄두상태 감시

⑬ 폭파 가능 신호 상태 감시

⑭ 유도탄내 축전지 장착 상태 점검

⑮ 유도탄내 축전지 예열 전원 공급 및 예열 상태 감시/축전지 작동

⑯ 유도탄 전원 전환/전환상태 감시

⑰ 유도탄 유압 펌프 장치 작동 상태 감시

⑱ 발사대 제어

⑲ 유도탄 준비 상태 점검

⑳ 전자 냉각장치 제어 및 전류, 전압 감시

㉑ 인원 안전 상태 점검

㉒ 발사거부 조건 점검

㉓ 제1단 추진 장치 점화

㉔ 유도탄 이탈 상태 점검

㉕ 자체점검 기능 내장

3) 발사대(ML-87K)

유도탄을 설치하고 세우거나 눕힐 수 있는 유압장치가 장치되어있다.

유도탄은 아래의 내용과 같이 분리되어 보급되며 발사대 설치 시 조립한다.

가) 후방동체와 전방 동체(컨테이너 포장)

나) 2단 날개

다) 2단 추진로켓

라) 탄두 동체(컨테이너 포장)

마) 1단 날개

바) 1단 추진 기관

마. 작동원리

발사 전 표적관련 제원을 포대통제소 컴퓨터에 입력하면 사거리와 방향에 따른 탄도를 계산하여 유도탄에 장입 한다. 관성항법장치의 핵심은 관성 센서(자이로 와 가속도계)와 컴퓨터로 구성된 관성항법장치(INS)이며 이로부터 산출된 유도탄의 위치, 속도 및 자세 정보를 수정하는 방식이다.

이 관성 항법 방식의 원리는 일차원 레일 위를 달리는 기차가 있다고 하자. 기차의 진행 방향으로 가속도계를 설치하여 가속도를 시간에 대해서 적분하면 기차의 속도가 산출된다. 그리고 출발점을 기점으로 하여 이 속도를 시간에 따라 적분하면 기차의 현 위치를 산출할 수 있다. 유도탄은 예상 항로와 관성항법 장치로부터 산출된 현 위치를 비교하여 탄도 각 오차를 산출하고 오차를 보정할 수 있는 유도신호를 발생한다. 관성항법 유도방식은 외부로부터 유도신호를 받지 않으므로 전파방해에 무관하다.

☞ 전파방해를 받을 수 있는 유도방식 : GPS 유도 /무선지휘유도 / 레이더 지형 탐색 유도

1) 발사준비단계

사격제원입력 - 1단 추진기관 점화선 점검-탄두안전 및 기폭장치 장착

가) 장전시간 장입/안전핀 제거-점화선 연결/점화 안전장치 손잡이 제거

나) 발사지역 인원 철수-발사대 직립-관성유도장치 대기상태 돌입
(전자냉각장치 작동 - 냉각공기 관성유도장치 공급)

다) 관성유도장치 입력상태 돌입-관성유도장치 조준상태 돌입-초읽기

라) 관성유도장치는 비행 상태 돌입 0 초간 조준과정에서 계산된 오차 제거 및 축 수정 완료—계기좌표계가 기준좌표계와 일치(수직 / 수평오차 제거)

마) 유도프로그램 반복 수행

바) 전자냉각장치 작동 중단

2) 발사단계

가) 초읽기 00초에 발사통제기로 발사신호 송출

나) 유도탄내 유압펌프 작동상태 및 관성유도장치 확인

다) 유도탄 이륙시 배꼽케이블, 발사레일 뭉치핀 절단

라) 유도탄이 9m/s 이상 가속시 유도비행 기준시점으로 사용

3) 급상승단계

발사대 이탈 비행궤도 수정을 위한 초기 유도 시작

가) 1단 추진체가 약 5.5초간 연소되며 2km 상공까지 상승

나) 1단 추진체 분리, 2단 추진체 점화 및 고도 29±2km 도달

　　이륙 후 약 00초간 비행안정 및 목표지점 축을 향하여 비행자세 유지

4) 초기유도단계

목표 상공에 설정된 가상표적을 향하여 비행궤도 수정

관성유도장치가 유도탄의 현위치, 속도 계산, 가상표적 도달 가능성 예측 후 고고도 유도단계로 진입(비행궤도 수정), 2단 추진기관이 약00초간 연소후(음속 약 4배) 최고 고도 도달

5) 고 고도 유도단계

가상표적을 향하여 순항하는 단계로 이 단계에서는 비행궤도가 크게 변하지 않고 거의 수평비행—관성유도장치는 잔여 비행시간을 계산 수정, 지구중력에 의한 유도탄 강하량을 보상하여 유도/조종량 계산

6) 종말 강하단계

가상표적에 도달되기 직전에 지상표적을 향하여 강하하는 단계로 관성유도장치는 가상표적에 도달되는 시간을 계산하고 입력된 강하 시작시

간에 도달 시 강하명령 송출-전자신관이 관성유도장치로부터 송신되는
탄두폭파 가능신호를 수신하면 초고주파를 방사하여 고도측정 개시

7) 종말 유도단계

가) 유도탄이 표적을 향하여 거의 수직으로 강하하는 단계
나) 관성유도장치는 계속 표적을 향하여 비행하도록 조종명령 산출
다) 신관은 계속 고도측정을 하다 장입된 폭발 고도에서 탄두 기폭

8) 탄두 폭발 및 자탄 분산

탄두기폭계열 작동 : 동체가 절개되면서 자탄 분산

9) 유도 / 조종 원리

가) 유도탄 비행시 추력(推力), 공력(空力), 지구 중력(重力)이 유도탄에
가해진다. 3가지 힘에 의해 유도탄은 선형, 회전운동을 하고 이러
한 힘과 운동은 관성유도장치(IN)와 조종장치의 감지기에 의해서 감
지된다.
나) 관성유도장치 전산기
지구중력가속도(사전입력)을 이용하여 항법방정식 계산/조종명령산
출(유도탄의 현 비행위치, 속도계산과 표적을 비교 분석하여 조종명
령 산출
다) 관성유도장치에서 산출된 조종명령(유도탄의 회전, 상하좌우)은 조
종 장치로 송신되어 유도탄 위치조정을 위한 신호증폭 및 유도탄
운동 감지
라) 조종 장치에서 증폭된 유도탄 조종신호는 유압작동기로 하여금 4개
의 조종날개를 구동 변위시켜 유도탄의 위치 및 자세를 조종하기
위한 유압장치 구동신호 송출
마) 유도탄이 표적에 도달될 때까지 위 과정을 계속 반복
바) 발사/비행 단계 구분
1단 추진기관 분리 : 약 6초
초기유도(회전안정) : 이륙 11초
고 고도 유도

종말 유도

강하단계 자탄 분산 (600~1500m)

바. 장비구성/정비체계

1) 장비구성

발사대(ML-87K)/발사통제기/유도탄(MGM-1K)/포대통제소
(MSQ-87KA1)-사격통제소(밴)/탑재트럭/발전기트레일러

2) 정비체계

가) 부대정비

나) 야전정비 및 창정비

사. 장비 편성

1) 장비편성

포대가 사격임무를 수행하는데 필요한 장비는 다음과 같다.

가) 포대 통제소(사격통제 밴)

① 기능

유도탄을 발사하기 위하여 발사대 직립빔을 세우는 것으로부터
유도탄이 발사대를 이탈하기까지의 전 과정을 통제, 감시, 확인
함은 물론, 유도탄의 비행에 필요한 제원을 계산하여 관성유도
장치에 입력하고 점검하는 기능을 수행한다.

② 구성

포대 통제소의 구성은 전산기, 통제콘솔, 부수장치로 구성되어
있으며, 전산기 통제콘솔은 2개 세트씩 장착되어 각각 별개의 체
계로써 고장에 대비하고 배전반의 체계 선책에 따라 2개의 체계
중 하나를 선택 운용할 수 있다.

나) 이동식 발사대

① 기능

현무 유도탄 체계에서 발사진지, 예비진지 및 평탄한 지역에서
유도탄을 점검 및 발사하는데 사용된다.

② 구성

발사대의 구성은 발사대 본체 및 발사통제기 등으로 구성되어 있으며, 발사통제기는 사통밴과 유도탄을 연결하여 제원을 송수신하는 중심체 역할을 한다.

다) 유도탄/발사레일

① 기능

관성항법 유도 비행, 고체연료(COMP C/D)추진식 야전 포병 지대지 유도탄이다. 유도탄 전방 동체는 유선형으로 되어 있으며, 후방동체는 선미형으로 되어 있다. 유도탄 탄두는 자탄형이다.

② 구성

㉮ 1단 추진기관

1단 추진기관의 구성은 전방기체, 추진기관 조립체, 후방기체, 4개의 날개로 구성되어 있다.

㉯ 2단 유도탄 몸체

2단 유도탄 몸체는 전방동체, 탄두동체, 후방동체, 날개로 구성되며, 전방동체는 전자신관, 조종 장치, 관성유도장치 및 전방날개로 구성되고, 탄두동체는 탄체, 자탄 주출장치, 안전 및 장전장치, 중간날개로 구성되어 있다. 또한, 후방동체는 2단 추진기관, 유압동력장치, 유압 작동기, BA-617축전지, 2단 날개로 구성되어 있다.

㉰ 2단 유도탄 날개

2단 유도탄 날개는 전방날개, 중간날개 주날개, 조종날개로 구성되어 있다.

라) 동력 공급 장비

통제소와 발사반에 소요되는 동력공급을 위하여 발전기 또는 상용 전기를 사용한다.

마) 유도탄 트레일러

유도탄을 적재하여 발사대 장착을 위한 이동에 사용, 발사레일 위에 완전히 조립된 유도탄을 발사레일과 함께 발사지역으로 수송하여 발사대에 장전시키거나 완성탄 지역에 저장하기 위한 장비

아. 사격 과정

1) 진지 점령완료

가) 진지지역에 장비를 설치하고 전원 및 제원 케이블을 연결 전원 공급준비를 한다.

나) 발사지역에서는 사전 측량된 측지점에 발사대를 정치하고 자체 점검 및 계통점검(통신 및 모뎀)을 실시 후 유도탄을 발사대에 장전한다.

다) 사격통제장비는 자체 점검 및 계통점검(발사대와 통신 및 모뎀 점검)을 실시하고, 발사대 준비상태 확인 후 사격절차를 수행하게 된다.(시간 가능 시 통합점검 실시)

2) 사격절차

사격제원(비밀번호, 표적위치, 발사대위치)이 전산기에 입력되면 관성유도 장치에 입력될 유도 자료를 계산하여 보낸다. 유도 자료를 수신한 관성유도장치는 그 내부의 관성 측정 장치 기준축을 유도 좌표계에 맞추는 조준과정을 수행한다.

3) 조준 완료 후 초읽기를 시작하면 통제콘솔은 0초에 발사신호를 발사통제기에 보낸다. 발사신호를 수신한 발사통제기는 약 2.25초 동안 발사 가능성을 점검한 후 발사준비 상태가 정상이면 유도탄의 1단 추진기관을 점화시킨다.

4) 1단 추진기관의 추력이 약 10톤에 이르면 유도탄은 발사레일 전단에 조립되어 있는 핀을 끊고 발사대를 이탈한다. 약 5.5초간 72.6톤의 추력을 내면서 연소하여 유도탄을 약 2km 상공까지 상승 후 연소가 거의 끝나면 공기 저항력의 차이에 의해 2단 유도탄과 분리된다.

5) 1단 추진기관이 분리되면서 축전지(BA-617)에 연결된 격발 끈을 당겨 2단 추진기관을 점화시킨다.

6) 초기 유도단계를 거쳐 고고도 유도단계 동안 이미 설정된 비행궤도를 따라 순항하다가 가상 표적에 접근하면서 종말유도를 실시한다.

7) 종말 유도시 유도탄은 수직으로 표적에 접근하다가 미리 설정된 폭발 고도에서 탄두 동체의 표피를 절개하고 자탄을 분산시킨다.

자. 이동식 발사대 ML87K

1) 장비의 설명 및 제원

가) 용도

현무 유도탄 체계에서 유도탄을 발사진지나 예비진지 또는 임의의 평탄한 야지 등으로 이동하며 발사하는데 사용한다.

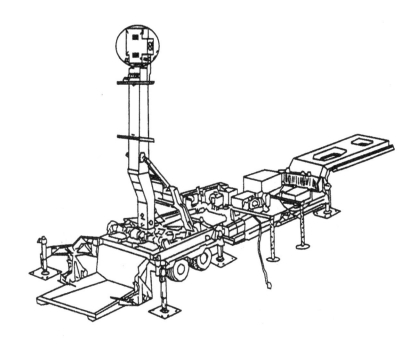

그림 4.46 이동식 발사대

나) 특성

① 이동하며 운용할 수 있다.

② 주야간 설치 및 철수가 가능하다.

③ 평탄한 야지에서 설치가 가능하다.

④ 직립각도는 85°, 87.5°, 90° 중에서 선택할 수 있으며, 현무 발사대는 85°로 조립되어 있다.

⑤ 포장도로에서 최대 시속 80km로, 비포장도로에서 최대 시속 15km로 이동할 수 있다.

다) 구성품의 위치 및 설명

① 주요 구성품은 다음과 같다.

㉮ 발사대 본체(KM36E1)

㉯ 전자 냉각장치(HD-225K)

㉰ 발사통제기(TSW-87K)

㉱ 발사대 트레일러(LT87K)

㉲ 전자 냉각장치 전원 공급기(PP-225K)

㉳ 동력변환기

㉴ 부수장치

㉵ 설치 보조장치

㉶ 발사레일(KM3A1)

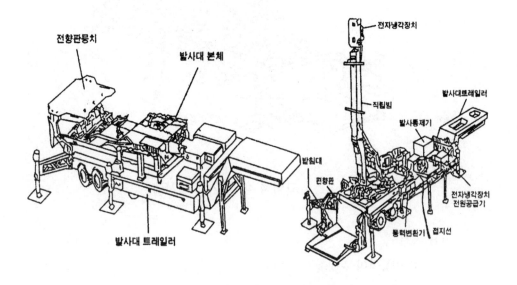

그림 4.47 발사대 구성도

② 발사대 본체

발사대 본체는 발사대를 이루고 있는 구조물과 구조물을 움직이는 유압장치, 유압장치에 명령을 전달하는 전기장치로 구성되어 있다.

㉮ 발사대 본체 구조물

발사대 본체 구조물은 발사대 프레임, 직립빔 뭉치, 지지대 뭉치 지주대 뭉치, 랙발판 등으로 구성되어 있다.

ⓐ 발사대 프레임 : 발사대 프레임은 발사대의 기저를 이루고 있는 주트러니언에 직립 빔 뭉치가, 보조트러니언에는 자주대 뭉치가 연결되어 있으며 전방 중앙에는 내림잠금뭉치가 부착되어 있다.

내부에는 전기적 신호를 전달하는 전기케이블이 들어있고, 전방은 유압동력장치와 배전함이 연결된다. 또 발사대 플레임은 발사대 트레일러에 6개의 발사대 브래킷트로 연결되어 있다.

ⓑ 직립빔 뭉치 : 직립빔 뭉치는 발사대 프레임과 지주대 뭉치에 연결되어 있으며, 유도탄의 점검 및 발사를 위하여 유도탄을 올리고 내리는데 사용된다.

– 수평 자리(패드) : 발사대를 수평으로 설치시 사수상한의(KM1A2)를 사용하기 위한 자리(패드)이며 고정수평기가 파손되었을 때 보조로 사용된다.

– 고정수평기 : 발사대의 수평을 맞추기 위하여 사용된다.

– 전, 후방 쐐기 뭉치 ; 유압에 의해 쐐기뭉치의 램이 상하운동을 하여 발사대가 직립시 발사레일이 직립빔 뭉치에서 이탈되지 않도록 발사 레일의 러그를 직립빔 뭉치의 쐐기 클램프에 고정시키는 역할

– 방향틀 지지대 : 방향틀을 발사대에 설치하는데 이용

– 내림걸쇠 : 직립빔이 완전히 내려졌을 때, 발사대 프레임에 부착된 내림잠금 장치에 걸려 직립빔을 고정시키는 역할

ⓒ 지주대 뭉치 : 지주대 뭉치는 직립빔의 올림과 내림시 작동링크 역할 및 직립빔을 받쳐주는 역할을 하고 상부, 중부, 하부 등의 3개 지주대로 구성되어 있다.

또, 중간 지주대에는 올림 잠금 뭉치가 연결되어 있다.

- 상부 지주대 : 직립빔 뭉치와 축으로 연결되어 있고, 중간 지주대와 볼트로 연결되어 있다.

- 중간 지주대 : 상부 지주대와 하부 지주대 사이에 위치하며 상부 지주대와 볼트로 연결되고, 하부 자주대와 축으로 연결된다.

- 하부 지주대 : 발사대의 보조 트러니언에 축으로 연결되어 있으며, 유압 장치의 주실린더 및 평형실린더와 연결되어서 발사대의 직립빔뭉치를 올리거나 내린다.

그리고 캠 작동 밸브를 작동 시키는 캠이 부착되어 있다.

- 지지대 뭉치 : 수평으로 내려진 직립빔을 받쳐주는 기능을 하며 전방 지지대와 후방 지지대가 있다.

- 랙발판 : 작업시 또는 기타 필요시 선반 혹은 발판으로 사용되고 주 실린더 및 평형 실린더를 보호하는 장치이다.

③ 발사대 유압장치

발사대 직립빔 내의 쐐기의 작동, 직립빔의 올림 및 내림을 위한 유압을 공급하기 위한 장치이다.

㉮ 유압동력장치

발사대 프레임의 전방부 우측부위에 위치하여 발사대를 작동하기 위한 동력인 고압의 유압을 발생시키는 역할을 하는 장치이다.

㉯ 유압 분배관

발사대 유압 작동유를 적당한 방향으로 분배하는 분배센터 역할을 한다.

ⓓ 실린더

　ⓐ 쐐기 실린더 : 발사대 직립빔의 전방 쐐기뭉치 및 후방 쐐기뭉치 내부에 위치하며, 직립빔 내의 쐐기뭉치를 제어하기 위하여 유압 동력 장치로부터 최대 3,200psi의 유압에 의해 작동된다.

　ⓑ 주 실린더 : 발사대 프레임의 주 트러니언과 보조 트러니언 사이에 위치하여 직립빔을 올리고 내리게 하는 실린더로서, 발사대 올림주기 동안 유압동력장치로부터 최대 3,200psi의 유압을 받아 주동력을 발생시키고, 내림 주기 동안에는 직립빔을 내리는데 평형실린더를 보조하는 역할을 한다.

　ⓒ 평형 실린더 : 발사대 프레임의 주 트러니언과 보조 트러니언 사이에 위치하여 직립빔을 올리고 내리게 하는 실린더로서, 직립빔의 올림 각도가 70o 이하일 때는 주실린더를 보조하여 직립빔을 올려주고 직립빔의 내림시에는 주동력을 발생시킨다.

　ⓓ 올림잠금 실린더 : 발사대 중간지주대와 하부지주대가 연결되는 축에 위치하며 발사대가 완전히 올라갔을 때 직립빔을 고정시키는 기능을 한다. 직립빔이 내려갈 때는 유압동력장치로부터 최대 3,200psi의 유압을 받아 올림잠금장치를 직립빔으로부터 풀어 준다.

　ⓔ 내립잠금 실린더 : 발사대 프레임의 전방부 중앙에 위치하며 발사대의 직립빔이 완전히 내려간 후 직립빔을 발사대 플레임에 고정시키는 기능을 수행한다. 이 실린더는 올림주기 초기에 발사대 유압동력장치로부터3,200psi의 유압을 받아 직립빔을 프레임으로부터 풀어준다.

ⓡ 부속장치

　ⓐ 유 기 : 일정한 작동유를 유압펌프에 약 20psi로 공급하며, 또한 주실린더, 전방 및 후방 쐐기 실린더로부터 복귀되는 작동유를 저장한다.

ⓑ 평형기 : 직립빔이 올라가는 동안 평형기의 유압은 2개의 평형실린더로 작용되며, 다시 직립빔이 내려가는 동안은 평형실린더로부터 평형기로 압력이 가해진다.

ⓒ 완충장치 : 발사대 프레임 전방 좌우에 2개가 부착되어 있으며 발사대 직립빔이 내려올 때 충격을 완화시켜 부드럽게 내림 잠금 작동이 되게 해주는 장치이다.

④ 전기장치

㉮ 분전함

발사대 전방 좌측에 있으며 발전기로부터 전력을 공급받아 유압 장치모터, 발사통제기, 전자냉각장치 및 전원공급기 등 발사대 시스템에 필요한 모든 전력을 분배하고 발사대의 올림/내림을 제어하는 장치로서 전력 차단기(회로차단기, 주전력차단기), 위상 이전 등, 원 위치 작동기 등을 구성되어 있다.

ⓐ 전력차단기 : 발전기로부터 공급되는 전력을 공급 또는 차단하는 주전력 차단기와 발사통제기, 축전지 예열용 전원, 전자냉각장치 및 전원공급기, 동력변화기 등에 전력을 공급하는 회로차단기로 구성되어 있다.

ⓑ 위상 이전등 : 발전기에서 공급되는 전력이 유압장치모터에 적절하게 공급되고 있음을 운용자가 쉽게 알 수 있도록 하는 장치로서 밝음 등과 어두움 등으로 구성되어 있다.

ⓒ 원위치 작동기 : 유압장치모터에 필요 이상의 과전류가 흘렀을 때나 오랜 시간동안 작동시켰을 때 유압장치모터를 보호하는 장치이다.

유압장치모터에 과전류가 흘러서 모터의 작동이 정지되면 고장배제 후 원위치 작동기를 누름으로써 유압장치 모터에 전력을 다시 공급할 수 있다.

㉯ 내림 잠금 제한스위치 케이블 뭉치

내림 잠금 실린더 옆에 위치하며 발사대가 내림을 완료했을 때 유압장치 모터의 전력을 차단시켜주는 장치이다.

ⓓ 올림 잠금 제한스위치 케이블 뭉치

올림 잠금 실린더 옆에 위치하며 발사대가 올림을 완료했을 때 유압장치모터의 전원을 차단시켜주는 장치이다.

ⓔ 쐐기 스위치용 케이블 뭉치

쐐기잠금 제한스위치는 발사레일을 직립빔에 고정시키는 쐐기 실린더의 잠금 작동을 하도록 신호하는 스위치이다. 쐐기 풀림 제한 스위치는 직립빔이 완전히 내려진 후 쐐기실린더의 풀림 작동이 완료 되었을 때 유압구동을 멈추게 하는 스위치이다.

⑤ 부수장치

㉮ 잭 뭉치

잭핸들을 이용하여 높이를 조절할 수 있으며 발사대 설치시 발사대의 수평을 맞추기 위해서 사용된다.

㉯ 뻗침대

발사대 설치시에 이것을 후방으로 벌려서 설치하다. 그리고 이동시에는 전방으로 접어서 발사대 트레일러의 측면에 고정한다.

㉰ 전자냉각장치 고정대

발사대 이동시 전자냉각장치를 고정시키는 장치이다.

㉱ 거리자

안내선을 설치하는데 사용된다.

㉲ 전향판 뭉치

상판과 하판으로 구성되어 있으며, 유도탄 발사시 초기 추진력 부여 및 화염을 후방으로 분산시켜 발사대를 보호하는 장치이다.

㉳ 전향판 걸이

발사대의 직립빔과 전향판 사이에 연결되어서 발사대의 설치, 철수시에 전향판을 발사대 위로 올리고 내리는데 사용한다.

㉴ 공구함

말뚝, 지시핀, 잭핸들, 햄머, 방향틀 설치봉 등을 보관하는데 사용된다.

ⓐ 직립빔 고정 장치

직립빔을 발사대 프레임에 고정시키는데 사용된다.

ⓐ 유도탄 이송레일

유도탄을 발사대로 이동할 때 사용된다.

ⓐ 착지대 결합체

트레일러와 견인트랙터를 분리하고자 할 때 트레일러의 전방부를 지지해 주고, 그와 반대로 결합하고자 할 때는 견인트랙터의 전향륜에 체결되는 트레일러 킹핀의 높이를 조정할 수 있도록 되어 있다.

⑥ 설치보조장비

㉮ 사수상한의

발사대의 수평을 맞추는데 사용되며 발사대의 고정 수평기의 보조로 이용된다.

㉯ 방향틀 뭉치

발사대의 설치 방위각 측정시 사용된다.

㉰ 방향틀 설치봉

방향틀을 방향틀 지지대에 설치하는데 사용된다.

㉱ 지시핀

발사대의 방위각을 측정하는데 사용된다.

⑦ 발사레일

탄약 발사시 초기 비행궤도를 유도한다.

㉮ 주요 구성품

ⓐ 멈치 볼트 : 발사레일 후방에 2개가 있으며, 유도탄을 조립시 위치 조절 기능과 발사대가 세워진 상태에서 유도탄의 하중을 받아주는 기능을 한다.

ⓑ 미세 조정 장치 : 발사레일 착탈시 미세 이동 조작을 하는 장치로서, 전·후방 2개가 부착되어 있다.

ⓒ 배꼽 케이블 전단 장치 : 유도탄의 발사시 부착된 배꼽 케이블을 전단시켜주는 장치로서, 지상으로부터 공급받던 모든 전기적 신호를 끊어주는 역할을 한다.

ⓓ 풀림 뭉치 : 유도탄을 요크로 받쳐주며, T-훅 홀더로 유도
탄의 T-훅을 잡아주는 역할을 한다. 또한 요크는 요크 브래
킷트와 전단핀으로 체결되어 있다가 유도탄 발사시 추진력
에 의해 전단핀이 전단되면서 발사레일 앞 방향으로 회전하
여 발사대에서 이탈되는 유도탄을 풀어주는 기능을 한다.
- 엄지 나사 : 발사레일에 유도탄이 장차될 때 위치를 잡
아주는 나사봉이다.
- T-훅 홀더 : 발사레일에 유도탄을 장착할 때 T-훅을
잡아주도록 조립 되어 유도탄의 이탈을 방지한다.
- 전단핀 보조대 : 전단핀이 휘어지지 않도록 요우크를 잡
아주는 역할을 한다.
ⓔ 착탈 장치 : 발사레일을 발사대에 착탈 시키는데 사용된다.
ⓕ 발사레일 바퀴 : 발사레일을 이동할 때 바퀴 역할을 한다.
ⓖ 유도탄 이탈 스위치 : 유도탄 발사시 유도탄의 발사를 확
인시켜주는 전기적 신호를 발사통제기로 보낸다.
ⓗ 단열관 뭉치 : 전자냉각장치의 냉풍을 탄내의 유도 조종
장치에 전달하는 관이다.

차. 유도탄 MGM-1K

1) 현무 체계 구성

가) 특성

① 유도탄은 추진기관, 유도장치, 탄두 및 기체로 구분된다.
② 추진기관은 1단과 2단으로 구분되며, 고체 연료를 사용한다.
③ 유도장치는 관성유도장치, 조종 장치 및 유압장치로 구성되고,
관성유도 방식을 사용함으로써 유도탄을 목표점까지 유도한다.
④ 탄두체계는 자탄을 적재한 탄두와 안전 및 기폭장치, 신관으
로 구성된다.
⑤ 기체는 전방기체, 탄두기체, 후방기체 및 1단 추진기관 기체
로 구성되어 유도탄 형상을 이룬다.

나) 제원

　① 길 이 : 11.92m

　② 총 중량 : 5,450kg

　　㉮ 1단 동체 중량 : 2,730kg

　　㉯ 2단 동체 중량 : 2,720kg

　③ 사거리 : 000km

　④ 유도방식 : 관성유도 방식

　⑤ 정확도 : 1mil 이내

　⑥ 최대 속도 : 마하 4.1

　⑦ 사용 대기 온도 : −40℃~+45℃

　⑧ 전원

　　㉮ 관성유도장치, 조종 장치, 전자신관 : BA-472 3개

　　㉯ 유압펌프장치 : BA-485 1개

　　㉰ 2단 추진기관 점화 : BA-617 2개

다) 주요 구성품

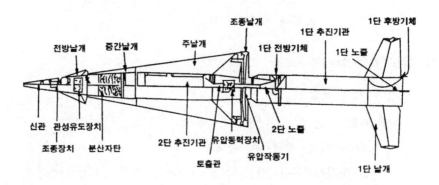

그림 4.48 현무 유도탄 주요 구성품

　① 전방통제 : 전자신관, 조종장치, 관성유도장치 및 전방날개로 구성

　　㉮ 전자신관 : 폭발 고도 측정 및 탄두 폭파 명령 송출

　　　ⓐ 폭발 고도 : 600~1,500m(현무는 1,200m)

ⓑ 고도 조정 : 100m 간격

ⓒ 정확도 : ±45m

㉯ 조종장치 : 조종 명령 생성

㉰ 관성유도장치 : 비행의 조종 및 폭파 가능 신호 송출

㉱ 전방 날개

② 탄두 동체 : 000개의 자탄이 내장되어 있으며, 목표물 상공 1,200m고도에서 폭파, 자탄을 분산 2,400RPM 이상의 회전력으로 무장되어 지면에 닿으며 폭파되는 고폭 분산탄.

㉮ 자탄 분산 반경 : 320m

㉯ 에너지 전달 장치 : 코드 결합체(15개)

㉰ 외피절단장치 : 선상성형장약결합체

㉱ 장전조건 : 2,400~3,200RPM의 회전력

③ 후방 동체

㉮ 2단 추진 기관 : 유도탄을 목표 지점까지 추진시키는 역할.

ⓐ 평균 추력 : 10t

ⓑ 총 연소 시간 : 30초

ⓒ 안전스위치 : 2단 추진기관 조기 점화 방지

㉯ 유압펌프장치 : 조종 날개를 구동시키는 유압 생성

ⓐ 축압계 정상 수치 : 1,750~2,400psi

ⓑ 오일 수준 : 적정

㉰ 축전지 : BA-472, BA-485, BA-617

㉱ 추진무장끈 : 2단 추진기관 점화

㉲ 주 안정 날개 및 조종 날개로 구성

④ 1단 추진 기관 : 유도탄의 초기 추진력 발생

㉮ 안전 손잡이 : 지상에서 1단 추진 기관의 안전성 부여

㉯ 점화 플러그 : 점화선을 이물질로부터 보호 및 단락 방지

㉰ 점화선 : 1단 추진 기관 점화

㉱ 평균 추력 : 72.6t

㉲ 총 연소 시간 : 5.5초

⑤ 유도탄 비행 과정

㉮ 발사 단계

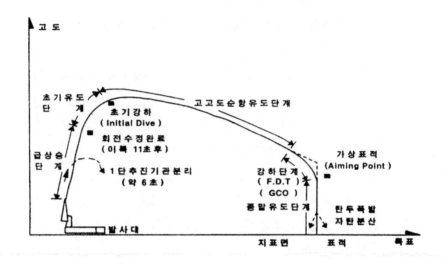

그림 4.49 유도탄 발사단계

ⓐ 사격 통제 벤에서 초읽기시간 0초일 때 유도탄 발사 신호
를 발사통제기로 송신한다.

ⓑ 발사 통제기는 유도탄 발사 신호를 수신하여 유도탄에 장
착된 축전지를 작동시키고 초읽기 2초에 유압펌프장치 작
동 상태 및 관성유도장치 비행 상태를 확인하여 정상이면
전원 전환 신호를 유도탄으로 송신한다. 전원 전환이 수행
되면 관성유도장치, 조종장치, 신관에 축전지 전원을 공급
한다. 발사통제기는 초읽기 2.25초 후에 관성유도장치 비
행상태, 유압펌프장치 작동 상태 및 전원 전환 상태를 점
검하고, 정상이면 1단 추진제를 점화한다.

ⓒ 발사레일 전방 풀림 뭉치의 전단핀이 절단되고, 유도탄 이
탈 스위치의 작동으로 유도탄이 이탈되었음을 사격 통제
벤에 알려준다.

ⓝ 급상승 단계

1단 추진기관이 점화되어 유도탄이 발사대를 이탈하면서 비행 궤도 수정을 위한 초기 유도를 시작할 때까지의 단계이다. 1단 추진기관 연소가 끝나면 공기 저항에 의해 1단이 분리되고 추진 무장 끈에 의해 축전지(BA-617)가 작동되어 2단 추진기관을 점화시킨다. 1, 2단 분리 후, 조종날개가 움직이면서 회전 조종 명령에 따른 회전 운동이 시작되며, 발사대 이륙 후 약 11초까지 계속된다.

ⓓ 초기 유도 단계

표적 상공에 설정된 가상 표적을 향하여 유도탄 비행 궤도를 수정하는 단계이다.

ⓡ 고고도 순항 단계

유도탄이 가상 표적에 도달하기 위해 순항하는 단계이다. 이 단계에서는 비행 궤도가 크게 변화되지 않고, 거의 수평 비행을 한다.

ⓜ 종말 강하 단계

유도탄이 표적에 도달하기 직전에 지상 표적을 향하여 강하하는 단계이다. 이 때 관성유도장치는 표적거리가 5km 이내이고, 강하단계에 진입되었는가를 판단하여 판두 폭파 가능 신호를 신관에 송출한다.

ⓑ 종말 유도 단계

유도탄이 거의 수직으로 표적을 향해 강하하는 단계이며, 이 때 신관은 폭발 고도에 도달되면 탄두기폭기로 탄두 기폭 명령을 송출한다.

NOTE ··

제5장 레이더 장비

5.1 레이더 개론

5.1.1 개요

레이더(RADAR)는 무선전파를 이용하여 물체 탐지 및 거리를 측정하는 장비로써 다음과 같은 특성을 갖는다.

5.1.2 전파의 특성

가. 직진성 : 파장이 짧을수록 현저하며 레이더에서는 통상 GHz대역사용

나. 반사성 : 반사성 역시 파장이 짧을수록 양호

다. 등속성 : 빛의 속도와 같이 $3 \times 108 (m/\mu s)$

라. 레이더에서 사용하는 주파수 대

BAND	주 파 수	파 장
▪ S BAND	2 ~ 4 GHz	10 cm
▪ C BAND	4 ~ 8 GHz	5 cm
▪ X(I) BAND	8 ~12.5 GHz	3 cm

마. 레이더에서 초단파(Micro Wave)를 사용하는 이유

  1) 직진성 양호

2) 반사성 양호

3) 지향성 안테나 획득 용이

4) 혼신 및 방해 감소

바. 변조 방법

1) 지속파 레이더 (CW)

가) 일정한 주파수 변환

나) 이동 표적 탐지

다) 2개 안테나 사용

움직이는 물체에 대하여 도플러효과를 이용해 탐지하는 방법이다. 2
개의 안테나로써 1개는 송신 1개는 수신

2) 주파수 변조 레이더 (FM)

가) 송신 주파수 변환

나) 고정 표적 탐지

다) 2 개 안테나 사용

3) 펄스 변조 레이더 (PM)

가) 일정한 주파수 송신

나) 고정 및 이동 표적 탐지

다) 1 개 안테나 사용

레이더는 전자파의 전파시계가 열려있는 공간에 전파를 발사하여 목
표물로부터 반사/반응되어 오는 신호를 감지하여 실시간으로 표적의
정보를 추출하는 장치로서, 전천후 성능 발휘가 가능한 특징을 가지
고 있다. 레이더는 용도와 적용분야가 다양하여 비록 동일한 원리가
적용된다 하더라도 주된 기술, 사용목적, 운용형태 등에 따라 적용
기술상 차이가 있어 다양하게 분류된다. 주된 기술적 분류는 탐지,
추적 다기능, 영상레이더 그리고 피아식별 장비 등으로 분류되며,
설치장소/용도 위주로 분류되는 무기체계적 분류는 지상 및 차량탑
재 대공작전/전장 감시용, 함정탑재 대공/대함작전 및 항해용 항공

기 탑재 조기경보/전장감시 및 정찰용, 전술기 탑재 사격통제용, 위성탑재 전장감시/정찰용 등으로 분류되기도 한다. 여기서는 기술적 분류에 따라 설명하겠다.

5.1.3 레이더의 종류

가. 탐지레이더

탐지레이더는 전자파를 생성하고 높은 출력을 발생 시키는 송신기와 송신출력을 공간에 복사하는 안테나, 복사된 전자파에 의하여 반사된 신호를 수신하는 수신기, 수신신호로부터 표적 제원을 추출하는 신호처리기 그리고 운용자에게 정보를 전달하고 운용자의 통제를 입력하는 운용자 콘솔로 구성되는 것이 일반적이나 능동 위상배열레이더의 경우, 송신기와 안테나 그리고 수신기의 초고주파부분이 안테나와 한 몸체를 이루기도 한다.

나. 추적레이더

일반적으로 추적레이더는 표적획득레이더와 연동되어 획득된 표적정보를 입력받아 이 표적에 대한 공간좌표 값을 계산하여 표적을 추적한다. 정밀한 추적을 위하여 안테나 빔은 연필형의 좁은 빔(Pencil-Beam)형태를 사용하며, 각도와 거리 그리고 도플러 정보 등을 이용하여 이동표적을 추적하며, 연속적으로 저장된 표적 자료로부터 그 표적의 다음 위치 예측도 가능하다. 추적레이더의 용도는 대공화기의 사격통제, 유도탄 발사통제 및 유도 무인항공기 유도 등 군사용과 관측용 로켓 및 인공위성의 발사통제 기상관측 및 정밀측정 등 과학용으로도 사용되고 있다.

다. 다기능레이더

대공무기체계의 경우 침투하는 적의 대공표적을 탐지 식별, 추적하여 사격제원을 산출하고 필요시 격추시킬 수 있어야 한다. 이와 같이 1대의 레이더가 넓은 공역에 대하여 (동시에 다수 표적을 탐지, 추적, 표적조명, 피아식별) 다수 기능을 수행할 수 있도록 하는 것이 다기능 레이더이다. 3차원 레이더는 한 대의 장비로도 다수 표적을 각개 탐지, 추적, 제원 산출이 가능함으로 다기능 레이더로 분류된다.

라. 영상레이더

영상레이더(Imaging Radar)는 이동하는 플랫홈에 설치되어 표적 (또는 고정설치 시 이동물체) 전자파의 반사계수를 측정, 영상을 형성하여 표적을 식별하는 레이더로서, 광학 또는 적외선(IR)과는 달리 기상조건이나 주야에 제한 받지 않고 운용할 수 있으며 실시간 자료 처리 능력을 보유함으로써 넓은 지역을 동시에 감시, 정찰할 수 있고 항공기 또는 위성에 탑재된다. 획득된 영상은 농작물 작황 및 도시 확장 조사, 광물 및 유전 탐사연구, 빙하 이동 및 해상오염 감시, 해양연구 등 민수분야 뿐 아니라 적성지역의 정밀한 지형정찰, 조기경보 등 군사목적으로도 응용된다.

마. 피아식별레이더

피아식별 레이더는 주 레이더(Primary Radar)가 탐지한 표적이 아군인지 적군인지를 식별하는 장비로서 질문기(Interrogator)가 표적에 질문신호를 송신하고 표적에 탑재된 응답기(Transponder)의 응답 코드신호를 수신 확인하여 피아를 식별하는 수하(Cooperative Identif -ication) 방식과 각종 관측센서(전자파 레이더, 적외선 및 광학장비, 초음파 및 음향탐지기 등)를 이용하여 표적에 의한 반사 또는 방사되는 고유한 특성신호를 분석하여 피아를 구분하는 비 수하(Non- Cooperative Identification)방식이 있다.

1) 수하방식

현재 널리 운용되는 피아 식별 방식으로 민용은 A, B, C 등 알파벳, 군용은 1, 2, 3, 4 등 숫자로 구분된 여러 가지 질문 모드별 상호 약속된 응답을 함으로써 운용목적에 따라 식별가능하며, 군용모드 3과 민용모드 A는 질문방식이 동일하여 흔히 3/A로 표현되며 군용 모드 4는 비화방식이다. Mode-1, 2, 3은 운용자가 코드를 장입시키고 Mode-4의 경우에는 비화컴퓨터에 기계식 또는 전자식 코드 장입기로 코드를 장입시키며 통상 매 24시간마다 바뀐다. 그러므로 적이 암호 해독기 Mark X

Ⅱ장비를 보유하고 있다 하더라도 암호를 모르면 아군으로 나타날 수 없다. 이 방식은 질문 주파수와 응답 주파수를 달리 하므로 동일 주파수로 송수신하는 탐지 레이더는 지형, 비, 새 등과 같은 클러터와 표적의 구분, 다수 표적의 각각 구분 등의 문제를 해결하여 표적자료(표적여부, 고도 등)를 주 레이더에 제공할 수 있어 주 레이더를 보조하는 역할을 강조함으로 SSR (Secondary Surveillance Radar)이라 고도한다.

통상 탐지레이더와 연동하여 운용되며, 질문시스템은 2종의 안테나(지향성과 전방향성) 질문기(송수신기), 응답신호 처리기로 구성되며 응답시스템은 표적에 장착되어 전방향성(Omni Direc-tion) 안테나 응답기로 구성된다.

피아식별 레이더의 운용개념은 질문기가 지향성 안테나를 통하여 코드화된 전자파 펄스를 원하는 표적에 송신하고, 이 송신신호를 표적의 응답기가 수신하여 질문기의 주파수와 다른 주파수로 전 방향성 안테나를 통하여 약속된 응답신호를 송신하면, 응답 신호는 질문기의 지향성 안테나를 통하여 수신된 후 질문기의 응답 신호처리기를 거쳐서 식별정보를 주 레이더로 전달하는 것이다.

표적의 거리와 방향은 질문에 대한 응답신호의 지연시간과 안테나의 방향에 의하여 결정되고, 기타 정보는 응답신호로부터 얻어진다. 송수신 신호의 경로손실은 편도경로 손실(One-Way Path Loss)로서 주 레이더의 송신전력보다 낮은 송신전력으로도 장거리 영역을 커버할 수 있는 이점이 있다.

가) 수하 MODE 구분

① MODE 1 : 군전용 수하 모드

② MODE 2 : 평상시 비사용

③ MODE 3/A : 군민 공통 수하 모드(민항기의 경우 고도 및 기종까지 응답)

④ MODE 4 : 미 태평양 사령부에서 통제하는 암호로 암호 변경시간은 미군 관할 작전지역의 광범위함으로 인하여 국지 시간을 적용치 않고 그리니치 시간대를 적용한다.

2) 비수하 식별방식

비수하 식별(Non-Cooperative Target Recognition)기술은 각종 센서 신호의 실시간 분석능력 증대로 표적신호인식(Target Recogni-tion) 기술과 스텔스(Stealth)기술의 발전에 따른 표적의 반사 신호 특성을 분석함으로써 피아를 식별하는 방식이다. 비수하 식별방식의 운용 개념은 각종 관측센서로부터 탐지되는 신호가 표적 형상/구조, 표면 상태 및 재질 그리고 센서와 표적의 상대적 자세(방향) 이동상태(속도)에 따라서 고유한 특성을 가지므로 표적의 신호특성을 미리 데이터베이스화하여 감지된 신호와 비교/분석함으로써 표적을 식별하는 것이다. 이러한 개념은 복잡하고 고도의 기술과 축적된 데이터를 필요로 하는 반면 응답식 식별방식의 단점인 응답코드 복사에 의한 적의기만, 응답기 고장 또는 전파방해에 의한 식별불능 문제 등을 극복할 수 있는 장점이 있다.

> ※ NG IFF 체계
> New Generation IFF의 약자. 독일, 프랑스, 영국이 중심이 되어 1994년부터 개발 착수된 시스템이다.
> 공산권 국가에서 사용되는 피아식별장비는 우방국과는 다른 체계를 개발 사용하는 것으로 알려있으나 이에 대한 상세한 정보는 없으며, 단지 Odd Rods, Score Board, Squire Head등이 피아 식별용으로 사용되는 것으로 알려져 있다.

5.2 레이더 작동원리

5.2.1 레이더 작동원리

가. 기초원리

전파는 초당 30만 Km를 진행하며 1 micro sec에 300m를 진행하므로
$r = t \times c \, / \, 2$(r = 표적거리, c = 광속, t = 전파왕복 소요 시간) 표적까지의 거리는 전파의 왕복시간을 2로 나누어 산출한다.

1) 확률이론

레이더 전파는 눈비나 구름, 새, 산이나 건물 또는 호수나 바다에서 반사되며 이러한 신호를 잡음신호(클러터)라 하는데 레이더에서는 수신되는 신호의 잡음을 걸러내는 것이 대단히 중요하며 확률 밀도 함수를 적용한다. 어떤 수신기에서 특정시간에 잡음이 어떤 값을 가질 것인가 하는 것을 예측하는 것은 불가능하지만 특정 잡음이 특정 값이나 특정 범위의 값을 가진다는 것은 예측할 수 있다.

2) 표적탐지

레이더에서 표적의 탐지는 화면에 전시된 신호로부터 운용자가 표적의 존재 유무를 육안으로 식별하는 방식과 자동탐지회로를 통해 자동으로 탐지하는 방식으로 나누어질 수 있다. 종래 PPI 스코프에 전시된 신호를 운용자가 주의 깊게 관찰함으로서 표적을 탐지하고 제원을 산출하였으나 대공레이더와 같이 탐지 및 제원 산출을 고속으로 처리해야 하는 시스템에서는 자동 탐지회로를 통해 표적을 탐지하고 컴퓨터를 통해 표적제원을 자동으로 산출하여 전시한다. 자동으로 탐지하기 위해서는 수신신호를 일정 탐지기준(Thresh hold)과 비교하여 이 기준값을 초과한 것만을 표적으로 간주한다. 따라서 방해전파(Interference)나 수신 잡음의 경우에도 기준값을 초과하면 표적으로 선언될 수 있으며 이를 허위표적(False Target)이라한다.

3) 수신 잡음

잡음은 수신기의 표적탐지능력을 제한하는 전자기적 에너지를 말한다. 잡음은 안테나를 통해 수신되는 잡음 성분, 수신기 자체에서 발생되는 잡음, 수신전단부의 저항에서 발생되는 열잡음 등이 있다.

5.2.2 레이더 성능 결정 요소

레이더는 가능한 원거리 목표를 탐지 할 수 있어야 하며 측정한 물체의 거리 및 방위각의 정밀도가 높아야 한다.

가. 최소 탐지거리

접근하는 목표를 스코프 상에 지시 할 수 있는 최소거리이며 펄스폭에 비례하고 안테나의 높이, 고각 수직 빔 폭의 영향을 받는다.

나. 최대 탐지거리

사용 파장을 짧게 하고, 개구 면적을 넓게 하고 송신전력을 크게 하면 수신 감도가 향상되고 통달거리가 연장된다.

최대탐지 거리를 결정하는데 기준이 되는 조건 중에는 탐지 확률과 오경보 확률이 있다.

다. 거리 분해 능력

일직선상에 있는 두 개 이상의 물체에 대해 한 점으로 보이는 한계를 뜻하며 펄스폭이 짧을수록 좋아진다.

라. 방위 분해 능력

수평빔의 폭에 의해 성능이 결정되며 빔폭이 좁을수록 좋아진다.

5.2.3 레이더 장비 구성

일반적으로 레이더시스템 구성은 파형발생기, 송신기, 수신기, 안테나 동기제어기, 신호처리기, 데이터처리 및 시스템 제어기, 안테나 제어서보, 서보시스템으로 구성된다. 사격통제시스템에서는 레이더로부터 사격장치의 서보시스템을 직접 제어하거나 사통시스템에 표적제원을 전송한다.

가. 레이더 구성품 기능

1) 파형발생기

동기신호에 맞추어 주기적으로 송신 파형을 발생시켜 송신기로 보낸다. 시스템 종류에 따라 하나 또는 여러 형태의 파형을 사용하는 경우도 있다.

2) 송신기

파형발생기에서 발생된 신호를 송신에 적합한 RF 주파수로 변조 시킨 후 필요한 송신 출력 세기로 증폭시켜 송수신 전단부를 통해 안테나로 보낸다. 레이더는 일반적으로 초고주파를 사용하므로 이를 증폭 하는데 는 특별한 기술이 필요하며 고주파 증폭기의 종류는 출력방식에 따라 아래와 같이 구분된다.

가) 마그네트론 (magnetron : 1939년 최초개발)

나) 클라이스트론 (klystron : 1950년대)

다) 진행파관증폭기(TWTA : Traveling Wave Tube Amplifier : 1960년)

라) CFA 증폭기 (Cross Field Amp : 1980년대 초반)

마) SSPA (Solid state power amplifier : 1980년대 초반)

3) 송수신 전단부

송신시 송신출력을 안테나로 향하도록 하여, 일부 수신단으로 누설되는 전력으로부터 수신단을 보호한다. 또한 수신시에는 안테나로 수신되는 고조파 신호를 증폭한다.

4) 안테나

송신단으로부터 송신 출력을 특정 방향으로 지향토록 하여 대기로 전파 하고, 반사파를 받아 수신기로 보낸다. 동일한 RF 주파수에 대해서 안 테나가 크면 클수록 안테나 이득이 커지고, 탐지거리가 확대 되며 빔 폭이 작아진다.

5) 수신기

안테나로부터 송수신 전단부를 통해 수신되는 신호의 고주파 성분을 제거하 여 중간주파수 신호로부터 영상 신호를 검출한 후 신호처리기로 보내준다.

6) 신호처리기

지상 및 해상 반사체로부터 반사되거나 비 또는 눈과 같은 대기상의 반 사체로부터 반사되어 수신되는 클러터 신호를 제거하여 원하는 표적신 호를 추출해준다. 자동표적검출시스템에서는 표적 신호를 미리 설정된 표적 탐지 기준값과 비교하여 표적의 존재 유무를 자동으로 검출해 주며 잡음이나 클러터에 의한 오 경보를 일정하게 유지시켜준다.

7) 동기제어 및 시스템제어기

레이더의 전반적인 시스템이 송신주기에 맞추어 동기화 되도록 각 서브시스템의 타이밍 제어 신호를 각 서브에 공급한다.

8) 데이터처리기

탐지표적 제원으로부터 표적의 속도를 산출하며, 예측된 제원에 따라 표적추적에 필요한 연산을 수행하고 피아 식별기나 타 레이더로부터 신호 및 통제정보를 전용선이나 통신을 통해 수신하여 자체 산출제원과 연관시킨다. 또한 사통시스템에서는 안테나나 사격장치의 제어에 필요한 제원을 산출하고 제어 명령을 서보시스템에 전달한다. 데이터처리기는 운용자로부터 키보드 등의 인터페이스를 통해 시스템 제어에 필요한 제원을 입력받아 시스템 전반을 제어한다.

9) 지시기

가) A-SCOPE

레이더 영상신호를 시간에 대한 신호세기의 좌표로 표시하며, 추적 레이더의 지시 장치에 주로 사용된다.

나) B-SCOPE

거리에 대한 방위를 직각 좌표 영상신호로 표시하는 지시기로서 SAR 레이더나 다기능 레이더의 영상을 2차원으로 표시하는데 사용한다.

다) PPI 방식

레이더 영상을 거리대 방위각 좌표로 표시하는 지시 방식으로서 대부분의 탐색 레이더에서 사용되는 방식이다.

5.2.4 위상배열 레이더(Phased Array Radar)

가. 개요

안테나 소자 각각에 위상 변환기(Phase Shifter)를 연결하여 전자 빔의 주사를 전자적으로 통제하는 방식(Electronic Scan)의 레이더. 표적 정보를 3차원적으로 인식함으로 일반적인 2차원레이더와 구분되며 1개의 레이더가 다수 레이더 기능을 수행함으로 다기능 레이더로 분류된다.

나. 특성

안테나를 기계식으로 움직이지 않고 고정된 상태에서 전자적으로 빔을 주사시키는 방식이므로

1) 기계식에 비해 가볍고 작으며, 고장이 적음
2) 원하는 대로 신속하게 빔 방향(작동 모드별 Program)전환 – 기계식 약 0.1초, 전자식 약 0.005초
3) 다양한 형태의 빔을 동일시간대 생성, 지대공/공대공/공대지 동시 탐색 가능
4) 높은 출력 생성효과 – Side Lobe 감소 ⇒ Beam 집중(Sharpening)/소자수 증가 ⇒ 출력 증대
5) Radar Cross Section 감소에 기여(Rafael RCS: F-16의 1/5) – 기계식 안테나 ⇒ 전자식 안테나
6) 좌우 120도, 상하 130도 탐색 : Mig-31, F-2(추정)

다. 전술적 운용효과

1) 일부분 피탄, 파손시에도 계속 기능 발휘(생존성 증가)
2) 전장 상황의 정확한 파악
    가) 항공표적 추적 교전 중에도 주변 대공 상황 파악
    나) 항공기 대수까지 식별 / 해상도 향상으로 초정밀Targeting

라. 운용 예

1) 전투기 : Mig-31, F-22, Rafale, Euro Fighter, F-2
    장차 전자적으로 표면색을 변화시켜 시각적으로 분간이 어렵도록 (Stealth 화)하는 등의Smart Skin 개발이 예상됨

2) 장거리 지상 레이더
    가) 미국 NORAD의 BMEWS

(Ballistic Missile EW System), FPS-85/115

나) 러시아 ABM(Anti-Ballistic Missile) Radar 등

다) 대공유도무기체계

① Patriot 중고고도 대공유도무기체계(미국)

㉮ 미 Raytheon사의 AN/MPQ-53 다기능 위상배열 레이더(C-대역)사용. 표적 탐색, 탐지, 추적, 조사, TVM 자료수집, 피아식별, 방해전파 제거 기능 수행

㉯ 최대 100개의 표적을 추적할 수 있으며, 9개의 유도탄을 TVM 종말 유도 할 수 있음

② Aegis 대공유도무기체계(미, 일 이지스 함)

㉮ AN/SPY-1 다기능 위상배열레이더(S-대역) 탑재

㉯ 표적 탐색, 자동 탐지 및 추적, 유도 명령 송신 기능수행, 9개 표적과 동시 교전 가능

③ EUROSAM 지대공 유도무기체계(프랑스, 이태리)

㉮ 프랑스, 이태리 공동 추진

㉯ Thomson-CSF사의 Arabel 다기능 위상배열 레이더(X-대역) 사용

④ Arrow 대탄도 유도탄 체계(이스라엘)

㉮ 이스라엘 Elta사의 EL/M-2080 반도체형 위상 배열 레이더(L-대역)탑재. 표적 탐색, 탐지, 경보, 추적, 유도 명령 송신 기능 동시 수행

⑤ NASAMS 체제(노르웨이)

㉮ 노르웨이가 1993년 실전배치 시킨 무기체계

㉯ 미 Hughes사의 AIM-120A 유도탄과 AN/MPQ-64 위상 배열 레이더(X-대역)로 구성. -10도~+55도 범위의 고도각내의 최대 60개 이상의 표적에 대한 탐색 및 추적 가능

⑥ S-300 PMU 중장거리 대공/대탄도탄 유도무기 체계(러시아)

㉮ 서방 명칭 SA-10B

㉯ 93년경 S-300 PMU-1형 실전배치. 러시아 Almaz사의 Flap

Lip 레이더 탑재. 표적 탐지, 포착, 추적, 전자파 조사, 레이더 탐색기에서의 신호 수신, 유도탄 유도명령 송신 기능 수행

⑦ S-300V(러시아)

㉮ 서방 명칭 SA-12. 러시아 Antey NPO사 개발, 92년 실전 배치

㉯ Grill Pan 레이더 탑재. 12개 표적까지 포착/추적 가능, 이 중 6개 표적에 대해 정밀 추적

⑧ Tor 저중고도 자주 지대공 유도무기 체계(러시아)

㉮ 서방 명칭 SA-15. 러시아 Antey사 개발. 탐지거리 25km의 K-대역 3차원 펄스 도플러형 다기능 위상배열 레이더 탑재

㉯ 최대 48개 표적에 대한 3차원 정보 제공

⑨ Buk-2M 고고도 지대공 유도무기체계(러시아)

㉮ 서방 명칭 SA-17. 러시아 NIIP사가 기존 SA-11의 성능개량

⑩ HQ-2 고고도 지대공 유도무기 체계(중국)

㉮ 중국 CPMIEC사 개발. 중국, 이란, 파키스탄, 북한등지에서 사용

㉯ SJ-202 다기능 위상 배열레이더 탑재

㉰ 최대 2개 표적 탐지/추적. 최대 4개의 유도탄에 대한 유도 명령 송신기능 수행. 최대 탐지거리 115km, 추적거리 80km

마. 위상배열 레이더의 동작원리

레이더의 탐지거리는 안테나에서 복사된 전자기파가 얼마만큼이나 한 방향을 향하여 멀리 진행하느냐에 따라서 결정된다. 즉, 60와트(watt)의 전구보다 1백와트의 전구가 밝고 멀리 비춰 주듯이, 출력이 큰 레이더일수록 그 탐지능력이 증대된다. 그러나 고출력을 내기 위해서는 고전압을 걸어 주어야 하는데 전압이 너무 높아지면 출력장치 주변회로를 절연시키는 데에 어려움이 커지는 등의 기술적 문제 때문에 한계가 있다. 그래서 저 출력의 동일한 안테나를 여러개 배열하여 전체적으로는 충분히 큰 출력의 전자기파가 복사되는 레이더를 생각하였다. 이것이 다기능 위상배열 레이더(Phased ArrayRadar)인 것이다. 위상(Phase)이란 sine, cosine 함수의 각도 변수에 해당하는 것으로서 가령 y=sinθ 라는 함수에서 θ 를 말한다. 레이더에서

발산하는 전자기 펄스도 sine파로 구성되는데 그 위상은 시간과 위치에 따라 결정되며 시간상 1주기와 공간상 1파장은 위상차 360도(2π radian)에 해당한다. 한 개의 레이더가 전파를 방출한 후 그 반사파를 수신하여 신호를 처리하는 경우에는 레이더 자체의 위상차 문제가 아예 존재하지 않지만 여러 개의 레이더가 전파의 송수신에 관여할 경우 통합된 분석을 위해서는 전체 레이더를 구성하는 개개의 레이더간의 간격 때문에 발생하는 위상 차이를 반드시 고려하여야 한다. 특히 레이더에 사용되는 극초단파의 파장이 수십에서 수 센치미터이므로 이와 비슷한 거리만큼 떨어져 있는 개별 안테나 간에는 위상차가 절대적인 고려요소가 되며 이 때문에 위상배열(Phased Array)이라는 말이 나온 것이다. 기계적으로 안테나를 회전시켜 전자빔을 주사하는 고전적인 레이더에서는 안테나가 1회전하여 본래의 방향으로 돌아왔을 때, 그 동안에 이미 발견해 놓았던 물체마저 놓쳐버리는 수가 없지 않을 것이다. 그러나 위상배열 레이더는 고정된 채로 전자기파 빔의 방향을 순간적 전환하여 주사할 수가 있다. 이것은 수백개 또는 수천 개의 작은 안테나의 집합으로 구성된 레이더이다. 이 레이더에서는 작은 안테나 군으로부터 얻어진 전파정보를 개별적으로 또는 일괄하여 신호처리를 할 수 있다. 따라서 안테나가 하나밖에 없었던 고전적 레이더 보다 훨씬 많은 정보를 얻을 수 있다. 위상배열 레이더에서는 순간적으로 얻어진 미지의 비행물체에 대한 반사전파의 정보를 컴퓨터에 입력하여 그 비행물체의 위치, 소속, 비행 목적 등 인간이 필요로 하는 정보로 신속히 변환한다. AN/TPS-59 레이더는 한 예가 된다. 가로 5m 세로 10m의 크기인 이 대형 안테나는 54개의 행(row)으로 이루어져 있으며, 매 행 당 24개의 서로 다른 방향을 지향하는 안테나로 구성되어 있다. 즉, 이 대형 안테나는 1천 2백 96개의 소형 안테나들이 다른 방향을 지향하고 있기 때문에 1천 2백 96개의 소형 레이더로 구성되어 있다고 볼 수 있으며 이 소형 안테나들에는 28볼트의 낮은 전압만 공급하면 된다.

바. 위상배열 레이더 발전방향

1) 반도체 기술의 발달로 안테나 소자의 소형화 계속

2) 항공기 기수, 동체 등의 임의 표면에 극소형 소자를 배열하여 안테나로 활용(Conformal Array Antenna)

3) 전방향 탐색/교전, 다수표적 동시처리, 스텔스화, 적 전파방해 약화, 통신기능 보유 등이 가능한 차세대 레이더(Conformal Radar) 개발

5.2.5 조기경보 레이더 발전추세

가. 목적

주로 전장감시 및 조기경보 목적으로 개발, 운용

나. 분류

1) 탐지거리에 따라 단거리, 중장거리 및 초장거리 레이더로 구분

2) 표적 탐지자료의 종류에 따라 2차원(방위, 거리탐지) 및 3차원(방위, 거리, 고도 동시 탐지) 레이더

3) 설치 형태에 따라 고정형과 이동형으로 구분 운용

다. 발달과정

1) 1935년경 부터 개발이 시작(초기의 CW 레이더)

2) 1950년대에는 MTI 기법이 적용된 레이더가 개발

3) 1960년대 이후에는 디지털 신호처리 및 도플러 필터를 이용한 레이더

4) 최근에는 3,000km 이상의 표적탐지 가능한 초장거리(OTH) 레이더(3차원 레이더 기술, 신호처리 기술과 탐지능력 및 대전자전 능력 향상)

라. 적용 기술

1) 초기 레이더는 CW 방식으로 시작

2) 1950년대 이후 MTI(고정물체 반사파 제거용 휠터 기능을 가진 장치)이론 등 새로운 기법이 레이더에 적용

3) 1960년대 이후는 전자식 빔 주사방식 등의 발전된 기법 적용

마. 발전추세

레이더의 기본 구성요소를 중심으로 안테나, 송수신기, 신호처리기, 자료처리기, 전시기 등의 기술 분야에 대하여 탐지 및 추적성능 향상, 다기능 보유, 대 전자전 능력 강화 및 신뢰성 증대에 주안점을 두고 추진될 전망이다. 신호처리 기술은 컴퓨터의 고속화, 메모리 부품의 급속한 발전 등으로 추출자료의 다양화와 함께 자료의 정확성이 향상되고 있으며, 처리 능력의 확대로 레이더의 다기능화에 적합한 자료를 생산할 수 있게 되고 있다.

최근 레이더의 세계적 발전추세는 다량의 표적 동시탐지 및 추적기능을 보유하기 위한 탐지능력의 확장, 해/지상 클러터 제거, 대전 자전 능력 향상 등에 주력하고 있으며, 전자식 스캔방식의 3차원 레이더 형태에 대한 효율성이 부각되고 있다. 현대 세계적인 기술발전은 전자분야가 주도하고 있는 현실이며, 레이더의 주된 기술은 전자공학 전 분야에 걸쳐 광범위하게 구성되어 있어 일부 구성기술이나 새로운 이론의 발전이 레이더 기술발전의 기반으로 작용하고 있다. 레이더 기술발전의 중요성이 이미 공인된 기술선진국에서는 계속적인 투자로 지속적인 연구개발을 수행하고 있으며, 그 결과 기술의 첨단화는 물론 적용분야도 더욱 다양해졌다. 레이더 기술은초고주파 기술(안테나, 송수신기), 디지털 기술(신호처리, 자료처리기, 전시기), 체계/종합 기술로 대별된다. 레이더 기술의 발전방향은 탐지/추적성능향상, 다기능 보유, 운용자 인터페이스 최소화, 대전자전 능력 강화, 소형 경량화, 저전력소모, 신뢰성 증대에 주안점을 두고 있다. 체계 설계 동향은 컴퓨터와 전자부품 기술의 발전으로 인한 전자 식 빔 제어형 3차원 레이더 기술의 발달로서, 여려 개의 각각 독립된 기능의 레이더를 한 개의 레이더로 실현하는 것이다. 즉, 다기능 레이더는 탐지와 추적을 기능상 차이에 불과(물론 1개 표적에 대한 연속된 정확한 추적 자료를 추출하기 위해서는 별개의 추적레이더가 필요할 수 있지만)하게 하고 있으며, 유도탄의 유도를 위한 펄스형 조사능력도 포함하게 되었다. 이에 따라 기능별 운용을 최적화하기 위한 실시간 제어방식이 매우 복잡하여 컴퓨터를 이용한 소프트웨어 제어방식이 필수적인 요소로 등장하게 되었고 하드웨어는 기능 중심적이고 인터페이스가 용이한 구조로 발전되고 있다. 또한 획득 자료의 다양성과 정확성의 증가로 사격통제장치에 대한 기여도가 증가하게 됨으로서, 사격통제장치와의 인터페이스는 더욱 긴밀해지고 있다.

새로운 개념의 체계기술로는 컨포멀(Conformal) 배열 레이더, 초 광대역 레이더, Bistatic 레이더 기술이 연구개발 되고 있다. 컨포멀 레이더는 주로 항공기탑재 다기능 레이더로 사용되는데, 안테나는 항공기 표면의 일부로 작용함과 아울러 RCS를 감소시키며, 다수개의 전자주사심을 사용하여 다목적으로 운용한다.

초 광대역 레이더는 지표면/수면침투, 표적영상 추출, 클러터 제거 및 대전자전 능력이 우수하며, 저 RCS 표적 등에 효과적으로 대응하기 위해 사용된다. 향후 고출력, 광대역 특성을 얻기 위해 안테나 및 송신파형에 대한 집중적인 개발이 이루어질 것으로 판단된다. Bistatic 레이더는 송신기의 위치와 수신기의 위치를 분리함으로서 대전자전 능력이 뛰어나고, 스텔스기나 소형 미사일의 탐지에 유리한 장점을 지닌다. 초고주파 기술은 안테나, 송신기 그리고 수신기에 적용되는 기술로서 현재까지는 이를 각각의 기술 분야로서 취급하여 왔으며, 탐지 레이더와 추적레이더는 송신기를 제외한 안테나와 수신기 부분에서 다소간의 기술적 차이를 보여 왔다. 그러나 최근 방사기를 포함한 송수신 모듈을 안테나의 구성소자로 사용하는 배열형 레이더의 경우 초고주파 회로 모듈화 기술(물론 구성회로의 특성별 기술은 다를 수 있지만)과 방사 소자 배열기술로 구분/취급되기도 한다. 안테나는 전자적 빔 제어가 가능한 수동 또는 능동배열 안테나를 개발하는 것으로서, 평판형은 이미 실용화되었고 곡면형(단순곡면은 실험단계인 것으로 판단되나)은 이론 연구 단계에 있다.

소요 기술 분야는 빔 특성 제어(이득 및 빔폭, 저부엽, 초분 해능, 적응형 부엽 제어)와 대전자전용 안테나 기술 등이다. 신호처리 기술은 시간 및 주파수 영역에서 펄스간 또는 주사 간 변화를 처리/감지하여 표적자료를 추출하는 것으로서, 이동표적 지시, 오경보 제어, MAP 처리, 대전자전 신호처리, 표적정보 추출 등의 기능을 수행한다. 처리능력은 부품의 동작속도와 메모리의 저장 용량 및 Access 시간에 많은 제약을 받게 된다. 컴퓨터의 고속화, 특수 목적 처리기와 메모리 부품의 급속한 발전으로 처리능력이 확대되고 추출자료의 다양화와 정확성이 향상됨으로서 레이더의 다기능화에 크게 기여하고 있다.

5.3 저고도 탐지 레이더

5.3.1 개요

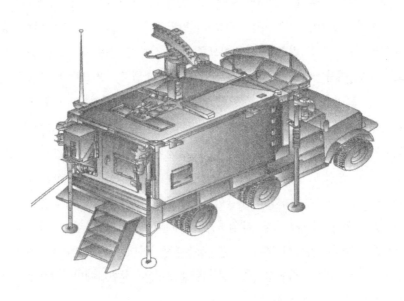

그림 5.1 저고도 탐지레이더

저탐레이더는 3Km 이하 저고도 대공 감시 및 항공기를 탐지하는 2차원 레이더로서 적기가 레이더 탐색을 회피하기 위해 산악지형을 이용한 저고도 침투 공중 공격시 이를 조기에 탐지하여 방공포병 부대에 전파함으로서 대응시간을 단축할 수 있게 하는 것이며 육군 보유 저고도탐지레이더는 TPS-830K 와 레포터가 있다. TPS-830K는 피아식별기를 보유하며 방해전파 표시기능, 가변주파

수 사용에 의해 대전자전 능력을 가지고 있는 장비로 장기간에 걸친 연구개발 끝에 국내 기술로 1986년 LG 이노텍에서 연구개발에 성공한 장비일 뿐 아니라 펄스압축 기술 적용으로 레포터 장비에 비해 저출력(8Kw)으로 가동되며 운용이 간편하다. TPS-830K는 표적탐지/식별 후 유무선으로 표적제원을 전송하므로 대공진지에서 유무선으로 제원을 수신하며 사격통제 제원통신기에 표적제원(거리, 방위각, 속도, 피아, 사격통제)을 전시하고 개량발칸 연동이 가능하며 BADO 장비로는 육성으로 경계방향을 지시한다.

가. 특성

1) 고속 저공 비행기 탐지
2) 조종전시판 사용 - 운용용이
3) 효율적 작전수행 가능
4) 대전자전 능력 보유
5) FCR와 연동하여 효율적 무기 제어 가능
6) 화면 분석용이 : 고해상도 칼라 모니터
7) 송수신하지 않고 기능시험 : 모의 표적 발생기
8) 전천후 사용 : 신호처리기 편파보상
9) 자체점검으로 고장 판단 : 용이

나. 제원

1) 안테나 회전: 30RPM
2) 제원전시(동시추적):16개 표적
3) 추적제원 전파 : 12대
4) 사용주파수: 9.0~9.5 GHz (X밴드)
5) 빔 폭 : 1.5°
6) 빔 고 각 : COSEC^2 to 40°
7) 탐지고도 : 3Km
8) 최대출력: 8 Kw
9) 탐지범위: 360°

10) 운용온도: -35° C~ +50° C

11) 운용전원 220VAC,60Hz 단상

12) 예열시간

　　가) 20~+50° C : 5분 이내

　　나) 35~-20° C : 30분 이내

13) 탐지거리 : 0.1-40Km

14) 탐지정확도

　　가) 거리 : ±25m 이내

　　나) 방위각 : ±0.5° 이내

15) 질문기운용방식: MODE 1,2,3/A4

16) 수하거리 : 40Km

17) 질문기 사용 주파수, 송신: 1030MHz /수신 : 1090MHz

18) 높이

　　가) 안테나 세움 : 6.1m

　　나) 안테나 눕힘 : 3.95m

19) 발전기

　　가) 출력전압 : 220VAC 단상

　　나) 주파수 :　60HZ

　　다) 전력 : 15KW

5.3.2 운용

가. 편성

저탐레이더는 방공여단 및 방공대대에서 운용하며 기본 편성은 반 단위이고 방공부대 임무에 따라 1-3개 반으로 편성된다.

방공중대 내에 3개 레이더 반이 1개 레이더 소대를 구성하고 대공포 3개소 대를 포함, 방공중대가 편성된다.

레이더 반 편성 : 반장, 운용조장/정비관, 레이더 운용병, 무전병, 발전병, 운전병

나. 운용

평탄한 지형에 장비를 설치하고 안테나를 세운 다음 수평조절기를 설치하여 쉘터 수평을 조절한다. 발전기 또는 상전 전원을 쉘터로 연결한다. 방향틀을 쉘터 뒤 50m 이상 이격 설치하고 쉘터 냉난방기 아래 위치하는 반사경을 조준하여 방위각을 측정하여 레이더 전시기에 입력한다. 레이더를 가동하여 비행체가 탐지되면 피아식별을 실시하고 방공포 진지에 피아, 거리, 방위각, 속도를 전파한다.

1) 가동전 준비

가) 전원케이블 연결 및 발전기 가동

나) 쉘터 사다리 설치고정슬링 제거

다) 수평조절기 1의 잠금 고리 제거

라) 수평조절기 2설치 및 연결봉 결합

2) 전원공급

가) 발전기 전원분배기 회로차단기 (10개)를 켬 "위치

나) 전원분배기 입력 전원스위치 "켬" 후 입력전원램프 점등확인

다) 직류전압스위치와 직류전압 계기의 직류전압점검

라) 입력전압. 주파수 계기의 전압 및 주파수 점검

3) 수평조절

가) 수평조절2 조절

나) 수평조절1 조절 : 안테나 눕힘 안전고리 제거 확인

다) 안테나 올림

라) 쉘터위의 안전걸쇠 잠금

마) 안테나 고정 슬링으로 안테나 결합체를 견고하게 고정

바) 무전기 안테나 세움

4) 레이더정치

가) 레이더 설치지점에서 지도와 방향틀을 사용하여 정치

나) 레이더 위치좌표를 입력하고 레이더가 지시하는 북쪽과 실제 북쪽이 일치하도록 설치

다) 지도에서 레이더세트 좌표(UTM)를 읽은 후 X, Y좌표 값을 입력하고 "ENTER"

다. 제한사항

1) 2차원 레이더로써 고도 탐지 불가(방향, 거리, 속도 측정)

2) 저고도 탐지레이더로서 고도 3Km 이상 탐지 불가

3) 이동간 장비 가동 불가/ 자체방어 미흡

4) 성능 제한 요소 : 안테나 전면 숲, 철제 울타리, 바다 및 호수, 대도시가 있을 경우 성능 저하(탐지거리 단축) 가능성.

5.3.3 구조기능

장비는 쉘터와 발전기(견인 트레일러)로 구성되고 쉘터를 주 임무장비라 하며 쉘터내에는 안테나, 송수신기, 전시기, 신호처리기, 피아식별기 전원분배기가 설치되어있고 안테나와 공기조절기(냉난방 장치)는 외부에 부착되어있다.

가. 안테나 유니트 구성품

반사기 안테나와 피아식별기 안테나로 구성되고 눈, 비로 인한 잡음을 감쇄시키기 위해 운용자의 선택에 따라 수평편파와 원형편파를 발생한다.

1) 반사기 안테나

송수신 유니트에서 발생된 고주파신호를 공중으로 방사하고 표적에서 반사된 신호를 수신하는 파라볼라 안테나이며 전파를 반사하는 거울과 같은 것이다 그림 5-2의 ①.

2) 피아식별기 안테나

질문신호를 방사하고 항공기의 1090MHZ 응답신호를 수신하며 10개의 다이폴안테나로 구성되어있다.

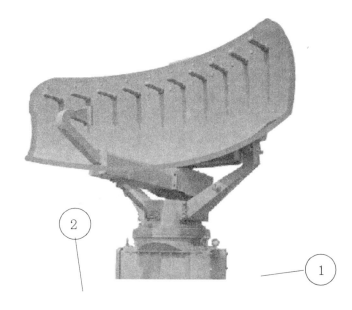

그림 5.2 안테나 유니트

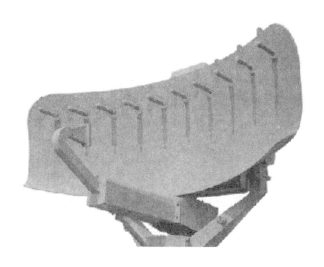

그림 5.3 피아식별기 안테나

3) 안테나 구동부결합체는 안테나를 회전시킨다. 내부 회전결합기는 지지대 고정체와 안테나 회전체사이에 전기적 연결을 가능케 한다.

나. 쉘터 내부 구조

쉘터 내부 구조는 좌전 면에 전시기 유니트, 중앙에 피아식별기 유니트 우측에 송수신기 유니트가 결합되어있다.

1) 전시기유니트

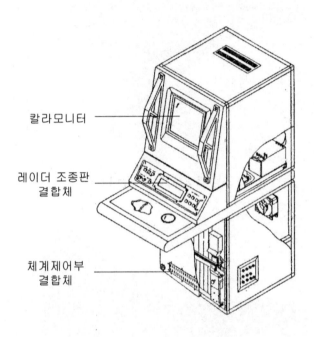

칼라모니터

레이더 조종판
결합체

체계제어부
결합체

그림 5.4 전시기 유니트

전시기 유니트는 쉘터 내부 전면 좌측에 위치하며 상단부에 레이더 전시기 칼라모니터, 하단에 레이더조종판 결합체, 맨아래에 체계제어부 결합체가 위치한다.

가) 전시기 화면(칼라모니터)

전시기는 체계제어부에서 보낸 신호를 화면에 표시하여 레이더체계 운용에 관한 정보 와 표적정보를 전시한다. 화면 좌상단 표는 레이더 운용정보, 좌하단은 표적정보이다.

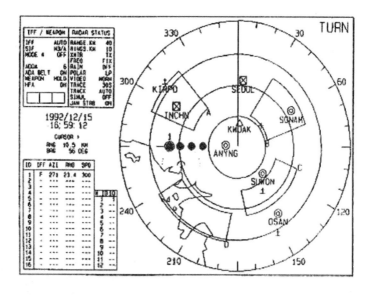

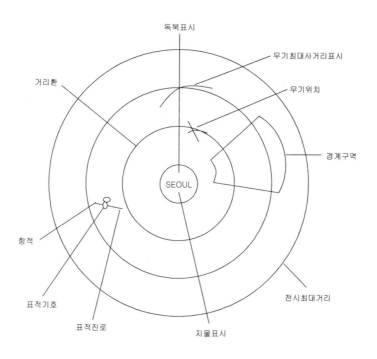

그림 5.5 전시기 화면

나) 레이더조종판결합체

12개의 스위치와 조종전시판의 터치스크린에 의해 조종할 수 있도록 해주며, 각 조작신호는 체계제어부 결합체를 통해 해당 장비로 보낸다.

다) 체계제어부 결합체

신호처리부에서 보낸 표적신호를 칼라 모니터에 전시할 수 있도록 처리하며 표적의 제원을 계산하고 표적정보 및 장비운용정보를 모니터에 전시한다.

2) 송수신기 유니트

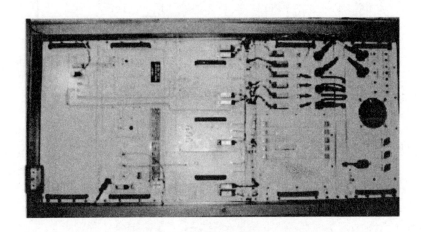

그림 5.6 송수신기 유니트

가) 송수신전단부

한 개의 안테나로 송/수신할 수 있도록 송수신 경로를 분리시키고 표적에서 반사된 수신파를 증폭하여 수신부로 인가

나) 진행파관 증폭부(Traveling wave tube amplifier)

변조부에서 생성된 초고주파신호를 입력받아 첨두출력 8KW로 증폭하여 송수신 전단부로 인가

다) 변조부결합체

송수신제어부에서 트리거 펄스, 발진부에서 고주파를 받아 장경로(7

μs) 단경로($0.2\mu s$)의 송신펄스 폭을 갖는 무선파를 생성하여 진행
파관 증폭부에 인가.

라) 발진부결합체

　주파수 합성기에서 1, 2차 국부발진신호, 동기발진신호, 시스템클럭
신호를 주파수 합성기에서 발생하여 변조부, 수신부, 송수신제어부
에 공급

마) 수신부결합체

　송수신전단부에서 증폭된 수신파를 1,2차 국부발진 주파수와 혼합하
여 60MHZ 대역의 신호를 검출하여 검출된 신호로부터 고정 및 이
동표적 영상 신호 생성

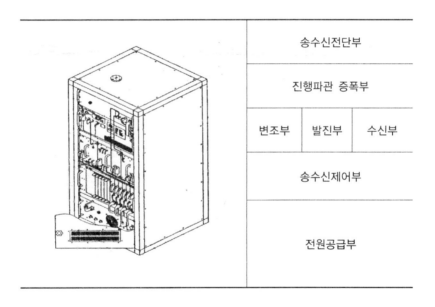

송수신전단부		
진행파관 증폭부		
변조부	발진부	수신부
송수신제어부		
전원공급부		

그림 5.7 송수신기 유니트 구성도

바) 송수신제어부

　송수신 유니트에 필요한 제어신호를 공급하고 검파신호를 비교하여
결함을 판단하며 영상신호를 증폭하여 전시기 유니트에 인가

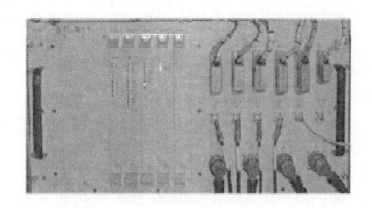

그림 5.8 송수신 제어부

사) 전원공급부 결합체

송수신기 유니트에 필요한 직류 전원을 공급하기위해 4개의 전원공급기로 구성, 직류전압은 송수신 제어부를 통해 공급한다.

3) 피아식별기 유니트

그림 5.9 피아식별기 유니트

가) 피아식별기 유니트 연동스위치

운용 중 내부점검시 전원연결을 위한 것으로 당기면 "켬" 위치

나) 피아식별기유니트 전면판

임시 주전원 스위치, 램프점등스위치, 코드선택스위치, 경보램프, 경보 무시 스위치로 구성되고 코드선택 스위치는 M4 운용시 사용

다) 질문기

탐지표적에 대해 피아식별을 위해 질문펄스를 생성하여 피아식별 안테나에 공급, 응답신호 분석 및 피아 판단 후 전시기 유니트에 제공

5.3.4 레이더 운용체계

가. 운용체계

발칸

오리콘

저고도 탐지 레이더

대공 방어무기

그림 5.10 저고도탐지레이더 운용체계도

주 장 비	저고도탐지레이더(TPS-830K)
부 수 장 비	■15KW 발전기 ■무전기 : VRC-946K/PRC-999K
관 련 장 비	■사격통제제원수(통)신기 TYK-830K(A)

정 비 장 비	■야전정비장비세트(TPM-830K) ☞이동용 정비장비 포함

☞ 저탐레이더에서 탐지된 제원은 대공포진지에서 보유하는 사격통제 제원
통신기로 전송되는데 이 장비는 TYK-830K와 개량형인 TYK-830KA
두 가지 모델이 혼용되고 있는데 외형상 거의 유사하지만 기능은 아래
와 같은 차이점이 있다.

나. 사격통제 제원수신기-제원통신기 모델 간 차이점

명 칭	사격통제제원수신기	사격통제제원통신기
모델명	TYK-830K	TYK-830KA
약 어 명 칭	FCR	FCT
구성품	수신기+PRC999K	통신기+PRC999K
제 원	표적정보표시/표적수 2 or 4대 /통달(유선20km)전원 12vV	
추 가 기 능	–	사격장치 연동가능-수신된 방위각 정 보를 신형발칸 & BADO로 전송함. 사격장치 좌표 자동수신(GPS)유무선 자동전환/경고음 조정(8단계) 경고음 다양화(에러경고/긴박경고/단음)

5.3.5 정비

가. 정비체계

군지사 특수무기 지원대에서 직접지원, 0정비창에서 창정비를 실시

나. 정비장비

1) 정비장비세트 : TPM – 830K

정비장비 TPM – 830K는 정비밴과 발전기로 구성되고 정비밴 내에 정
비콘솔이 설치되며 정비콘솔은 정비콘솔 1~5로 구분된다.

정비장비세트(TPM-830K) 내부 구조		
정비콘솔 1	↑ 출입문	정비콘솔4
정비콘솔 2		
정비콘솔 3		정비콘솔5

정비콘솔2(정비장비제어)	정비콘솔1(송수신유니트정비)
펄스 발생부	첨두전력부
	신호분석부
오실로스코프	송수신정비부
지 시 부	신호발생부
	직류전원정비부
정비장비 제어부(컴퓨터)	온도조절부1

정비콘솔 3 (피아식별기정비)	정비콘솔 4 (안테나정비)	정비콘솔 5
질문기 정비부 1	수평조절제어기	교범
	사통제원수신기/분배기	
	오실로스코프	케이블 류
질문기 정비부 2	전지충전기	특수공구
	송수신정비킷트	
	안테나정렬장비 결합체	인양고리

그림 5.11 정비장비 콘솔 구성도

다. 정비 1 콘솔

1) 첨두 전력부

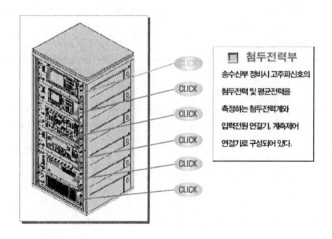

그림 5.12 첨두 전력부 설명도

2) 신호 분석부

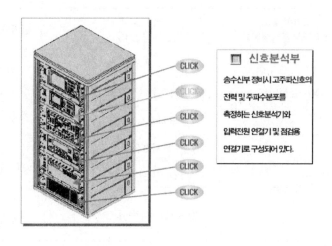

그림 5.13 신호 분석부 설명도

3) 송수신 정비부

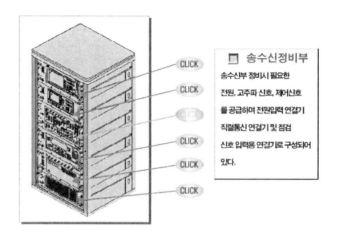

그림 5.14 송수신 정비부 설명도

4) 송수신 정비부

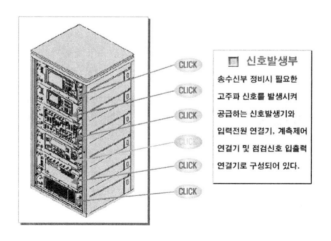

그림 5.15 신호 발생부 설명도

5) 직류 전원 정비부

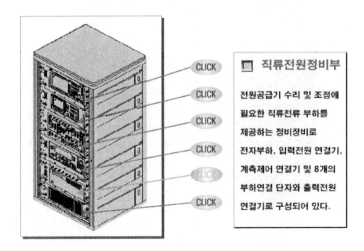

그림 5.16 직류전원 정비부 설명도

6) 온도조절부1

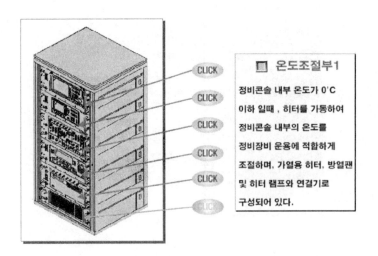

그림 5.17 온도조절부1 설명도

라. 정비 2 콘솔

1) 펄스 발생부

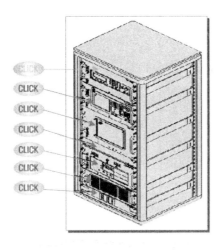

그림 5.18 펄스 발생부 설명도

2) 오실로 스코프부

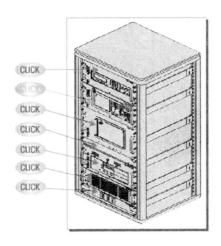

그림 5.19 오실로 스코프부 설명도

3) 지시부

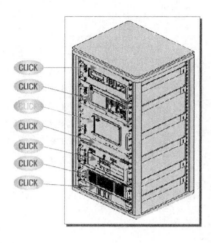

□ 지시부

정비장비 제어부와 연결되어
점검상태 및 결과를 표시하는
모니터, 입력전원 연결기,
영상신호 연결기로 구성되어
있다.

그림 5.20 지시부 설명도

4) 키보드부

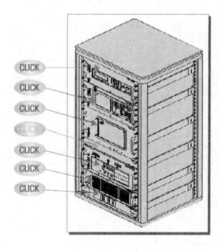

□ 키보드

정비장비제어부를 운용하기
위해 컴퓨터를 제어하기
위한 자판으로 구성되어
있다.

그림 5.21 키보드 설명도

5) 정비장비 제어부

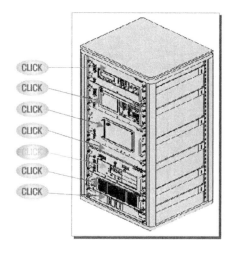

정비장비제어부

정비콘솔 장착 정비장비의
운용을 총괄하는 컴퓨터,
컴퓨터를 제어하는 키보드,
입력전원 연결기, 영상신호
출력 연결기, 출력전원 연결기,
점검제어 연결기, 계측제어
연결기로 구성되어 있다.

그림 5.22 정비장비 제어부 설명도

6) 온도조절부2

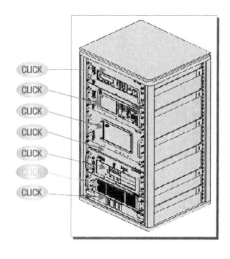

온도조절부2

정비콘솔2 내부의 온도를
일정한 범위 이내로 조절하는
기능이 있으며, 가열용 히터,
방열팬 및 히터램프와 입력전원
연결기로 구성된 전면판으로
구성되어 있다.

그림 5.23 온도조절부2 설명도

7) 온도조절부2

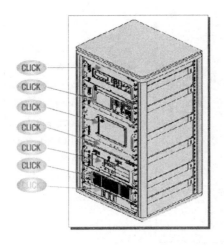

■ 전원입력부

정비콘솔에 장착되어 있는
정비장비에 전원을 분배하며,
전원을 제어하는 회로차단기,
온도조절부 회로차단기와
방열팬 스위치로 구성되어
있다.

그림 5.24 전원 입력부 설명도

마. 정비 3 콘솔

1) 질문기 정비부1

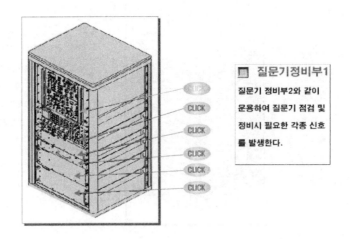

■ 질문기정비부1

질문기 정비부2와 같이
운용하여 질문기 점검 및
정비시 필요한 각종 신호
를 발생한다.

그림 5.25 질문기 정비부1 설명도

2) 질문기 정비부2

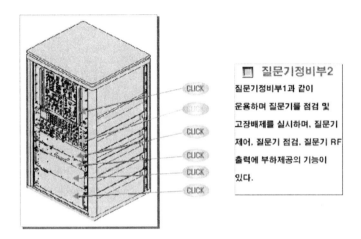

그림 5.26 질문기 정비부2 설명도

3) 기본불출품목/소모성보급품 보관택

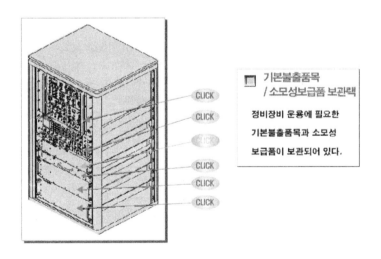

그림 5.27 기본불출품목/소모성보급품 보관택

4) 보조 테이블

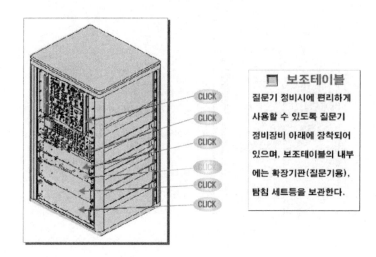

그림 5.28 보조 테이블

바. 정비 4 콘솔

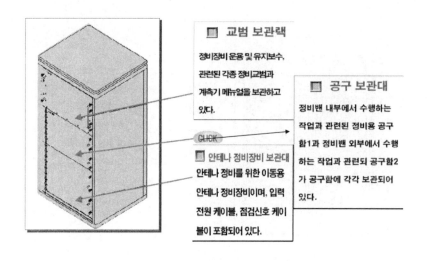

그림 5.29 정비4 콘솔 구성도

사. 정비 5 콘솔

1) 수평조절 제어기 정비장비 보관대

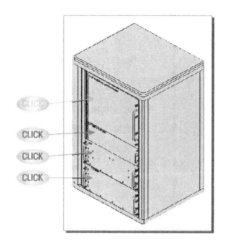

주임무 장비의 수평조절제어기를 정비하기 위한 전용 정비장비이며, 입력전원 케이블, 시험용 케이블을 수평조절제어기 정비장비 내부에 보관하고 있다.

그림 5.30 수평조절 제어기 정비장비 보관대

2) 사격통제제원분배기/수신기 정비장비 보관대

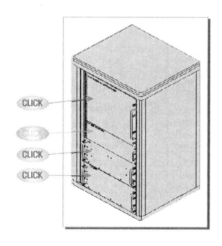

사격통제제원분배기 및 수신기를 정비하기 위한 전용 정비장비로 정비콘솔5의 보관대에 보관되어 있다. 전원입력 케이블과 시험용 케이블은 정비장비 내부에 자체적으로 보관되어 있다.

그림 5.31 사격통제제원분배기/수신기 정비장비 보관대

3) 오실로스코프 세트 보관대

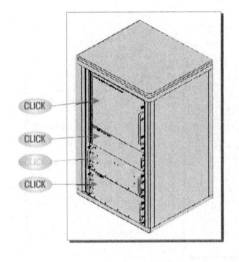

오실로스코프 세트 보관랙

이동용으로 사용하는 오실로스코프 세트는 주머니 속에 입력전원 케이블, 탐침과 함께 보관랙에 보관된다.

그림 5.32 오실로스코프 세트 보관대

4) 충전기 세트 보관대

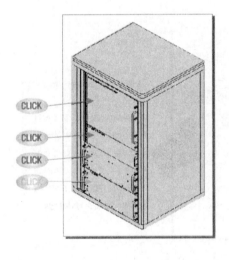

충전기 세트 보관대

사격통제제원수신기 및 무전기에 사용되는 충전용전지(BB-851K)를 충전하기 위한 충전기이며, 아답터를 사용하여 직접 연결하여 전원을 공급할 수 있다.

그림 5.33 충전기 세트 보관대

5.3.6 운용점검

송신준비 중 점검 시 주임무 장비는 정상동작을 중지하고 체계 자체점검 실시. 송신 중 점검 시 모든 시스템이 정상적인 운용상태에서 송수신기 유니트의 상태만 점검

가. 점검결과 전시판 표시 : CHECK : 점검 중 OK : 정상 FAIL : 고장

1) 안테나 결합체, 질문기 안테나 방사부 손상 여부
2) 수평조절기1/수평조절기 모터, 파워 실린더 동작 상태
3) 진행파관 증폭기 사용시간(최초 1000시간 사용 후 직접지원 요청 및 성능 저하 여부 점검, 최초 점검 후 500시간 경과 시 성능 재 점검필)
4) 레이더 조종판 결합체 각 스위치, 램프 작동 정상 여부
5) 전자기 방해파 여과기 내 먼지 휠터 청결상태
6) 전원 분배기 작동 상태
7) 전시기 기능 점검
8) 저탐레이더 자체 기능 점검
9) 송수신기 외부 및 송풍기 점검
10) 안테나 기능 점검(30rpm 이면 정상)

5.4 레포터(REPORTER-34ZK)

5.4.1 개요

약어	원어	약어	원어
Rader Equipment Providing Omni-directional	레이더 장비 제공하다 숫방향	Reporting of Target at Extended Ranges	보고하다 표적에 대한확장된 거리

그림 5.34 레포타

레포터는 저고도 침투 적 항공기를 조기에 탐지하여 방공 조기 대응 체계를 구축하기 위해 1988년 네덜란드 시그날社로부터 상업 구매한 장비이다. 제원 및 특성은 TPS-830K 저탐레이더와 유사하다.

가. 특성

1) 고속 저공 항공기 조기탐지
2) 2차원 레이더
3) 방공 조기 경보-발칸/오리콘/저중고도 대공 유도탄 사격 통제
4) 피아식별기 보유(IFF)
5) ECCM 능력 보유
6) 2 1/2톤 차량으로 견인

나. 제원

1) 레이더 탐지 : 거리 40Km 고도 3Km
2) 반응시간 : 5.35

3) 표적처리 능력 : 자동12개 수동1개

4) 중량 : 1900Kg

5) 주파수 가변: 6개 수동

6) 전원 :115V/400Hz 3상

7) 송신출력: 220kw

8) 예열시간 : 5-30 분

5.4.2 운용

가. 운용부대

나. 제한사항 : 자체방어 미흡, 이동 간 운용불가, 지형에 따라 탐지거리
　　　　　　　단축 등의 성능 제한

5.4.3 작동원리

TPS-830K 저탐레이더 와 유사하나 펄스 압축 기술 미적용으로 고출력 전원
사용

5.4.4 장비구성 / 정비체계

가. 구성장비 : 레이더, 안테나 트레일러/쉘터/발전기

나. 정비체계 : 0 정비창 자체정비 또는 외주정비

5.4.5 주요점검 내용

가. 안테나 점검 - 분당 44~52회 회전시 정상

나. 피아식별 안테나 및 빔 방사부 파손여부 점검

다. 송수신부 기능 점검

　　1) 빔 방사시 마그네트론 전류계 22~28mA 이면 정상

　　2) 고장시 고장지시판의 고장지시 램프가 "점등" 되고 정상시 미점등되면 정상

3) 도파관 건조기 기능 점검

4) 레이더 트레일러에 전원이 공급됨과 동시에 도파관 건조기가 작동되며 습도 감지기가 정상이면 청색, 불량시 분홍색이 표시되며 압력계는 0.7 bar , 공기 흐름량 계기는 4~6 ℓ 이면 정상

5) 수평 및 퓨즈 패널 기능 점검

6) 시스템 운용 점검

7) 쉘터 주 스위치 및 퓨즈 지시 패널 점검

　　가) 쉘터 내에 고장이 발생하면 회로차단기가 "DOWN"되면서 고장 지시램프가 점등되고 "UP" 이면 정상

5.5 표적탐지 레이더

5.5.1 개요

그림 5.35 AN/TPQ-36 전경

무유도 로켓이나 화포에서 발사된 포탄은 지구 중력에 의해 일정한 포물선을 그리며 날아가므로 비행궤적을 분석함으로서 발사위치와 예상 탄착점을 산출할 수가 있다. 이러한 원리로 적 화포의 위치를 색출하고 탄착 분석에 따른 사격우선 순위를 결정하여 신속히 대포병 사격을 할 수 있는 자료를 산출하여 C4I 체계에 제공할 경우 적의 포진지는 즉각 노출되고 파괴됨으로서 아군은 화력의 우위를 점할 수가 있다.

이 장비는 3차원 위상배열 레이더로서 저고도 담당 공역을 감시하여 적이 발사한 로켓이나 포탄을 상승단계에서 탐지하여 추적된 탄도를 분석하고 예상되는 발사지점 관련 자료를 좌표 값으로 산출하여 제공한다. 또한 아군 포 발사시 탄도를 분석하고 수정 제원을 산출할 수도 있다.

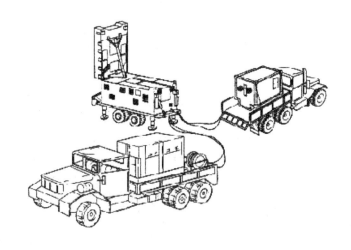

그림 5.36 AN/TPQ-37 구성도

이 장비는 3차원 위상배열 레이더로서 저고도 담당 공역을 감시하여 적이 발사한 로켓이나 포탄을 상승단계에서 탐지하여 추적된 탄도를 분석하고 예상되는 발사지점 관련 자료를 좌표 값으로 산출하여 제공한다. 또한 아군 포 발사시 탄도를 분석하여 수정 제원을 산출할 수도 있다.

이 외에도 육군에서 사용되는 표적획득장비의 종류는 아래와 같다.

♣표적 획득 장비의 종류♣

지상감시 레이더	RASIT-B	지상군 적 접근로 감시
지상감시용 광학장비	TOD	열상 관측 장비
	TSS	전술 감시 장비
	UAV	무인 정찰기
	PVS-98K	주야간 관측 장비

가. 특성

1) 적 곡사화기 및 로켓발사대 위치 자동 탐지
2) 대 화력전 효율성 증대
3) 컴퓨터에 의한 표적정보 자동 처리
4) 신속한 전개 능력

나. 제원

구 분	TPQ-36	TPQ-37
탐지대상	박격포/ 야포/ 로켓트탄	
탐지율	박격포:90%야포:70% 로켓트:80%	박격포,야포,로켓트 85%
탐지거리	최소 750m~최대 24Km	최소 3Km~50Km
탐지범위	최소 230밀 ~최대 1600밀	최소 300밀~최대 1600밀
동시탐지	5~10개	
정확도	CEP(원형공산오차 적용): 탐지거리 1%이내	

빔운용 고각	80밀	104밀
제원저장	109개(임시: 10개/ 영구:99개	
설치/철수 시간	20/10분	30분/15분

5.5.2 운용

가. 운용부대

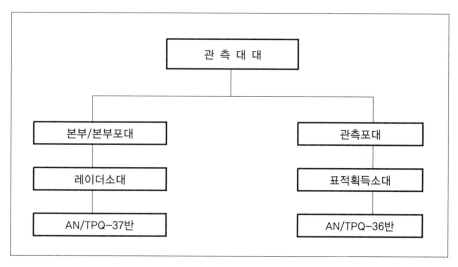

관측대대 관측포대의 표적획득 소대에 AN/TPQ-36 반, 관측대대 본부포대에 레이더 소대가 편성되어있고 AN/TPQ-37 반이 운용된다.

나. 운용

2.5톤 카고 트럭에 쉘터가 적재되고 쉘터 내에서 운용자가 장비를 가동한다. 레이더는 안테나 및 송수신 회로가 별도의 트레일러에 구성되어있다. 안테나는 세워서 사용하고 눕혀서 이동한다.

표적 자료는 지도상에 표시되며 동시에 유무선 망을 통해 전술사격 지휘체계(TACFIRE)에 전문을 송신한다.

전문 송신 내용(사격요청/정보보고/수정사격/기록사격/원격루프시험)

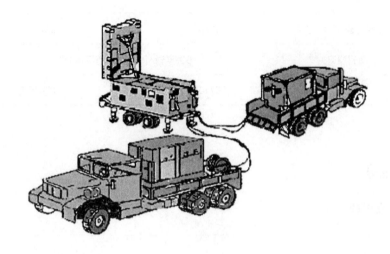

그림 5.37 AN/TPQ-37 운용도

1) 레이더 설치

트레일러를 진지 측지점에 위치하고 쉘터도 트레일러 근처에 위치시킨
다. (50m 이내) 트레일러, 발전기, 쉘터간에 케이블을 연결한 다음 시
스템을 접지시킨다. 전원이 공급되면 시스템 예열을 하는 동안 시동 단
계를 시행한다.

레이더 설치	
1. 트레일러를 측지 표시점에 정치 (추가 표시점에서 7.5cm이내 위치)	5. 안테나 커버 철거
2. 트럭에서 트레일러 분리	6. 안테나 기립
3. 트레일러 수평조절	7. 트레일러 통풍구 개방
4. 트레일러 접지	8. 전원 케이블 포선

2) 작동절차

레이더 작동 준비시 작동에 필요한 파라미터를 장입하여야 한다. 시동 프
로그램은 이 작동 파라미터를 장입하기 위하여 반드시 수행되어야한다.
프로그램 장입시 컴퓨터는 자동적 프롬프트로 필요한 제원을 요구하며
장입이 끝나면 즉시 운용 프로그램을 장입할 수 있다.

시 동 절 차

---

1. 시동 제원 수집(진지/기상/지도/표고...등 제원)
2. 컴퓨터 시험 실시: 컴퓨터 작동준비 확인
3. CPC 시험 실시(카트릿지/프린터조정장치시험)
4. 시동 프로그램 장입
5. 안테나 조준감사(도북 기준)
5. 화포탐지 시동 프로그램 장입

---

3) 제한사항

가) 안테나 250m 전방이내에 빔 방해 장애물이 없는 지역에서 운용

나) 생존성 및 탐지율 충족을 위해 1Km 이내 차폐점(각) 필요

다) 화포 탐지- 상승탄도만 추적

라) 빔 상호 간섭 방지 위해 정면 설치 불가

마) 탐지된 화포 종류 구분 불가

바) 강우, 강설시 성능감소

사) 안테나 전면 수목 높이와 밀도에 따라 탐지거리 감소(1㎡/1㏈감쇄)

다. 작동원리

표적 탐지레이더는 3차원 위상배열 레이더이다. 3차원레이더의 동작 방식은 V빔 방식, 인터페로미터 방식, 다중 빔 방식, 펄스내 주파수 주사 펜슬빔 방식, 경로차 측고 방식 등이 있으나 표탐레이더는 펜슬빔 방식을 사용한다. 이 방식은 한 개의 가는 빔을 휘두르는 관계상 공간을 간극 없이 주사하기 위해서는 시간이 걸리므로, 안테나의 회전 속도를 느리게 하거나 수색 대역을 좁게 해야 할 경우가 있다. 그러나 다수의 주파수를 사용하지 않고 자유로이 빔 방향을 조종할 수 있다는 장점이 있다. 이 레이더는 단일채널로 구성된 2차원 레이더와는 달리 잠자리 눈과 같이 수많은 소출력 레이더의 집합체로 구성되고 펜슬 빔을 주사하여 할당된 영역을 감시한다.

표탐 레이더에서는 빔폭이 좁은 펜슬빔을 고속으로 휘둘러 각 안테나 영역에서 수신된 신호데이터를 종합 처리하여 클러터를 제거하고 물체의 이동 방향과 속도를 계산하여 발사지점과 탄착지점을 산출한다. 일반 2차원 레이더에서는 대전력의 전자관을 사용하여 송신 출력을 발생하지만 고주파 고출

력 증폭 용도의 반도체 기술이 발달하여 반도체 증폭기(SSPA) 만으로도 필요한 송신 전력을 합성하는 레이더 개발이 가능하게 되어 어레이 소자마다 송수신기가 붙어 있는 형태로서 레이더 송신전력은 각 어레이 송신기가 발생하는 전력의 합계이다.

일반적으로 위상배열 레이더는 대공무기체계로 설계 운용되나 표적탐지레이더는 포탄과 로켓탄의 탄도 특성에 중점을 두고, 포탄 상승시 포탄으로부터의 반사파를 수신하고 기타 지물(地物) 반사파와 조류(鳥類) 및 기상조건에 따른 잡음 반사파(클러터)를 걸러내어 소거할 수 있도록 하였고 포탄의 속도와 상승각도에 따른 예상 진로와 발사점 위치를 산출하여 지도상에 표시하게 제작되었다. (움직이지 않는 고정반사파는 지물로 간주하고 속도가 느린 물체는 조류로 판단하여 자동으로 소거한다) TPQ-36은 수평 Array 단위로 빔각도를 조절할 수 있으며 수직 99개 수평 64개의 안테나가 배열되어 있다. TPQ-37은 모듈단위로 빔방향을 설정하며 1개 모듈에 6개의 안테나가 배열되어있고 모듈은 총 359개이다. RF 신호는 SSPA에서 TWT를 통해 증폭되고 TWT에 Ion pump power supply가 사용된다.

라. 지휘점검

1) AN/TPQ-36

가) 쉘터 전원 배전반 기능시험

① 트레일러 전원 배전반에 있는 회로차단기 8개/3개를 "ON"에 위치시킨 후 SYSTEM POWER 스위치를 눌러 쉘터에 전원 공급

② 쉘터 전원 배전반에 있는 로타리 스위치를 A, B, C에 위치하여 AC115V가 나오는지 확인하고 AB, BC, AC에 위치하여 200V가 나오면 정상

③ 쉘터 내 컴퓨터 시험은 지시기등 시험과 컴퓨터 진단 시험과 기억장치 시험으로 구분 실시

④ 카드리지/프린터 제어기(CPC) 시험: 완전한 문자 세트가 인쇄되면 정상

나) 트레일러 전원 배전반 기능점검

2) AN/TPQ-37

가) 쉘터 : AN/TPQ-36과 동일

나) 안테나/트레일러 전원 점검

트레일러 전원 배전반 시험은 안테나 및 트레일러에 필요한 모든 고주파 신호의 정상 전압 확인 점검

① 트레일러 전원 배전반 11개의 회로 차단기를 "ON"에 위치하고 로타리 스위치를 A, B, C에 위치할 때 전압 계기에서 AC115V가 나오면 정상이고, AB, AC, BC에 위치하여 AC200V가 나오면 정상

② 안테나 전원 공급 장치가 고장시 안테나 등이 점등되면 정상되어야하고 안테나 등이 미점등시 정상

③ 수신기/여자기 전원 공급 장치 고장 시 수신기/여자기등이 점등되며 미점등 되면 정상

다) 안테나/트레일러 기능 시험

① 트레일러 전원 배전반 11개의 회로차단기, 쉘터 전원배전반 3개의 회로차단기, 시스템 POWER "ON"

② 화포탐지부 키보드에서 기능코드 00을 입력후 FUNCTION 표시기에서 00을 확인, 키보드에서 제원코드 101을 입력 후 DATA 표시기에서 101을 확인하고 키보드에서 ENTER키를 누른 후 B-스코프에 "X AUTO TEST SEQUENCE COMPLETE" 가 표시되면 정상

③ 안테나 위치시험

㉮ 트레일러 기능발휘 상태 시험후 키보드에서 기능 코드 31을 입력 후 FUNCTION 표시기에서 31을 확인.

㉯ 키보드 제원코드 801을 입력후 DATA 표시기에서 801을 확인하고 B-스코프 및 프린터에서 "X 31M SUBTEST 801COMPLETE"가 표시되면 정상.

④ 송신기 냉각수 저항 및 고장지시기 시험은 고주파를 생성하는 송신기가 원활하게 작동할 수 있게 냉각수 저항을 점검한다.

㉮ 저항계 스위치를 "ON" 및 CELL SELECTOR 스위치를 "TEST"에 놓는다.

OHM/CM 조절기를 녹색 지시기 램프가 켜질 때까지 시계방향으로 돌린 후 냉각수 시험 셀의 저항이 OHM/CM 조절기 수치가 4M이하면 청정 카트리지가 포화상태이므로 교체하고 4M이상이면 정상

㉯ CELL SELECTOR 스위치를 NORMAL 위치에 놓고 OHM/CM 조절기를 녹색 지시기 램프가 켜질 때까지 시계방향으로 돌린 후 OHM/CM 조절기에서 냉각수 정상셀의 저항이 1M 이상이면 정상

㉰ 냉각수 양이 적으면 냉각수 저수준등이 점등되고 미점등시 정상

㉱ 냉각수 온도가 높으면 냉각수 고온도등(LAMP)이 점등되고 미점등시 정상

㉲ 냉각수 비중이 1.08 이면 정상

☞ 냉각수는 레이더 안테나(TWT)를 냉각하는데 사용된다.

5.6 대공감시 레이더

5.6.1 개요

77년 미국 텍사스 인스트루먼트사에서 ASR-8K를 상업 구매하여 수도권지역 대공 감시, 조기 경보를 목적으로 공군 및 수방사에서 운용하였으나 ASR-8K는 MPN-14K 장비로 대체 되었다.

MPN-14K는 ASR-8K가 지상 고정형인데 반해 고정 및 이동형으로서 RF 증폭 방식 채용으로 사용 전력이 대폭 감소하였다.

이 장비는 ASR 레이더/PAR 레이더/ SSR 레이더 3가지 레이더로 구성된다.

그림 5.38 대공감시 레이더

가. 제원

1) 탐지범위(ASR/SSR) : 200/60Mile

2) 탐지고도 : 30000ft

3) 입력전원 : 380VAC 3상 60㎐

4) 주 파 수 : 9㎓ 대역

5) 펄스출력 : 최대 7.5Kw 피크

6) 안테나 회전속도 : 12rpm

나. 특성

1) 2중 곡면 펄스 레이더

2) 이동 설치형 레이더

3) ASR/SSR/PAR 세가지 레이더로 구성

5.6.2 운용부대 / 작동원리

방공부대 / 펄스 도플러 레이더 동작원리와 동일

5.6.3 장비구성/정비

가. MPN-14K 구성품 : ASR / SSR / PAR 레이더 안테나트레일러/운용 쉘터/ 발전기

나. ASR 레이더 : 공항감시, 대공감시

다. SSR 레이더 : 2차 추적 (탐지거리 200mile 360° / 탐지고도 30000ft)

라. PAR 레이더 : 항공관제 정밀 접근 유도 (탐지거리 20mile) 일반적으로 대 공감시 목적으로 사용 시 ASR 과 SSR을 함께 사용

마. 정비 : 정비요원 기지 상주 및 자체정비 종결

5.7 공군 레이더의 사용소개

5.7.1 공대공 레이더

레이더는 F-16과 같은 현대의 제트 전투기에서 가장 핵심적인 전자 장비이며 그 용도는 크게 두 가지로 설명할 수 있는데, 첫째 전방의 물체를 탐지하여 그 물체에 대한 정보를 얻는 것이고, 둘째는 항공기에 탑재된 무장을 운용할 수 있 도록 조준 기능을 제공하는 것이다. 레이더로 표적에 대한 정보를 제공받으면 사격 통제 컴퓨터는 그 표적의 정보를 토대로 무기 발사 제원을 조종사에게 알 려주게 된다.

가. 레이더 탐색 패턴

레이더는 전방으로 전자빔을 쏘아서 전방의 물체에서 반사되는 반사파를 레 이더에서 수신하여 그 정보를 기초로 전방의 상황을 파악하는 것이다. 이러 한 레이더의 전방 탐색 형식은 손전등에 흔히 비유된다. 어두운 곳에서 손 전등을 비추면 전등이 향하는 일정한 지점만을 볼 수 있다. 이렇게 빛을 비 추는 폭이 제한된 손전등으로 전방의 넓은 영역을 효과적으로 탐색하기 위 해서는, 일정한 패턴의 탐색 방법을 가지고서 그 패턴을 반복하면 정해진

영역을 골고루 효과적으로 탐색할 수 있을 것이다. 그림1은 레이더 빔이 일정한 패턴으로 전방을 골고루 탐색하는 한 가지 예를 보여 준다.

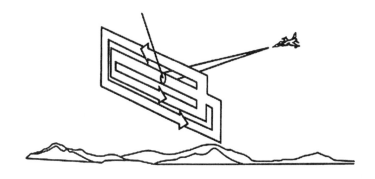

그림 5.39 레이더빔 탐색패턴

1) 조종사는 필요에 따라 레이더 탐색 패턴을 임의로 조정할 수 있다. 조정할 수 있는 수치는 다음의 네 가지이다.

　가) 아지무스(Azimuth) - 레이더 탐색의 좌우 각도 폭을 말한다.

　나) 바(bar) - 좌우로 왔다갔다 하는 레이더 빔의 패턴을 상하로 겹치는 층의 갯수를 말한다. Bar의 갯수가 늘어나면 레이더로 탐색하는 총 상하폭이 넓어진다.

　다) 엘리베이션(Elevation) - 레이더가 탐색하는 중심축선의 상하각도를 조절한다. 틸트(Tilt)라고도 말한다. 틸트를 내리면 더 레이더가 아래쪽을 향하게 되고, 틸트를 올리면 레이더의 중심 탐색 각도가 위로 올라간다.

　라) 범위(Range) - 레이더 화면에 나타나는 범위를 조절하는 것으로써, 레이더의 전자빔이 나가는 거리를 실제로 조정하는 것의 범위만 바꾼다. 범위를 넓히면 화면이 축소되므로 가까운 거리를 잘 보려면 범위를 좁혀야 한다. 보통은 일단 어떤 표적을 택하였으면 원하는

표적이 보일 수 있는 한도 내에서 범위를 최대한 좁혀서 화면을 확대해 보는 것이 좋다. 아지무스와 바를 넓히면 레이더는 더 넓은 영역을 탐색할 수 있지만, 그대신 레이더 빔이 주사 패턴을 한바퀴 돌아서 이전의 위치까지 오는데 시간이 오래 걸리게 되므로 빠르게 움직이는 물체를 빠뜨리고 지나칠 가능성이 생긴다. 따라서 일반적인 상황에서는 아지무스와 빔을 넓혀서 대략적인 탐색을 하다가 어떤 특정한 표적의 대략적인 위치가 알려지면 그 방향을 중심으로 아지무스와 바를 좁혀나가면 원하는 지점에 대해서 좀더 조밀한 탐색을 할 수 있다.

2) 탐색 영역의 조절단계

레이더의 상하폭과 좌우폭 그리고 범위는 항공기에 탑재된 레이더의 성능에 따라서 다르나, F-16에서는 좌우폭인 아지무스가 120˚, 상하폭인 바는 최대 60˚의 상하폭으로 탐색을 할 수 있다. 탐색 영역의 조절단계는 다음과 같다.

가) 아지무스 – 10˚(좌우 합 20˚), 20˚, 30˚, 60˚(좌우 합 120˚)

나) 바 – 1bar(10˚), 2bar(30˚), 4bar(60˚)

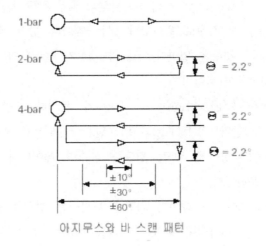

아지무스와 바 스캔 패턴

그림 5.40 아지우스와 바 스캔 패턴

보통 아지무스와 바를 최대폭에 놓고 그대로 놔두고 비행하기 쉽지만, 상하좌우 120 씩의 폭은 실전에서는 충분하지 않고 또 최대폭에서는 탐색이 잘 안될 수도 있다. 따라서 예상되는 표적의 방향에 대해서 틸트, 아지무스, 바 설정을 적절히 변화시켜서 레이더 빔을 조종사가 직접 조절해주어야 레이더의 효과를 극대화시킬 수 있다.

나. 레이더 화면

초보자들이 레이더 화면을 볼 때 가장 많이 생기는 의문은 도대체 내가 어디 있는가 하는 것이다. 레이더는 항공기의 전방에 탑재되어있기 때문에, 항공기의 전방만을 탐색할 수 있다. 따라서, 레이더 화면역시 나의 앞쪽만을 나타낸다. 레이더는 항공기 기수에서부터 해서 레이더 전파하므로, 레이더가 탐색하는 범위는 부채꼴 혹은 피자 조각과도 같은 모양이 된다. 하지만 레이더는 사각형으로 생겼기 때문에 초보자들은 언뜻 화면을 이해하기가 힘들어진다. 그림5.41 에는 부채꼴 모양의 레이더 탐색 영역이 어떻게 사각형으로 바뀌어 레이더 화면에 표시되는지 그림으로 잘 설명되어있다. 이러한 화면 묘사법을 가지는 공대공 레이더 화면을 B-스코프라고 부른다. 간단히 설명해보면, 레이더의 아래쪽 밑면 전체가 나의 위치가 되고 위로 올라갈수록 더 먼 앞쪽을 나타낸다.

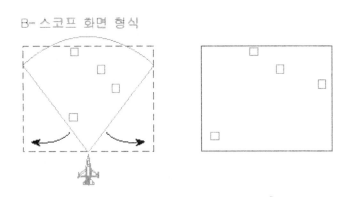

그림 5.41 B 스코프 화면

그런데 왜 부채꼴 모양의 레이더 탐색 영역을 사각형으로 일그러 뜨려서 식별이 곤란하게 만드는가. 단순히 MFD 화면이 사각형이기 때문에 그런 것인가 하는 의문을 가질 수 있지만 공대공 전투에서는 적과 나의 상대적인 움직임을 파악하는 것이 매우 중요하다. 즉, 적이 나에게 다가오는지 아니면 옆으로 지나쳐가는지를 아는 것이 중요 하다. 만약 레이더 화면이 부채꼴 모양 그대로라면, 표적의 상대적인 움직임을 파악하기가 쉽지 않을 것이다. 반면, 레이더가 사각형으로 되어있으면 적기의 움직임을 파악하기가 훨씬 쉽다. 즉, 레이더 상에서 수평으로 지나가는 물체는 나와 같은 거리를 유지한 채 움직이고 있는 것이고, 레이더 화면에서 수직으로 움직이는 물체는 나에게 곧장 다가오거나 곧장 멀어지고 있는 것이다. 이렇게 사격형의 레이더를 보는 법을 알고 나면 공대공 상황에서는 사각형의 레이더 화면이 훨씬 효과적이라는 것을 느낄 수 있을 것이다.

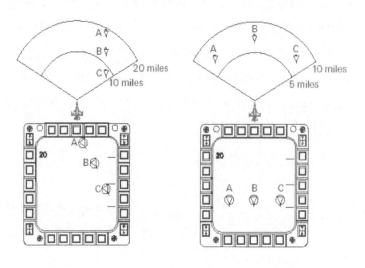

그림 5.42 MFD 화면

APG-68 레이더의 공대공 모드의 구조

1) CRM 모드

CRM 모드는 기본적인 탐색과 추적을 위한 레이더 모드이다.

CRM 모드에서 기능키를 누르면 RWS, LRS, VSR, TWS 모드들이 순환
된다. 레이더는 기본적으로 CRM 모드로 되어 있으며, ACM 모드에서
CRM 모드로 가려면, 다음의 방법을 이용한다.

가) 레이더 MFD의 윗줄 맨 왼쪽의 ACM이라고 써있는 버튼을 누른 후
　　왼쪽 세로줄에서 CRM이라고 새로 나타난 글씨 옆의 버튼을 누른다.

나) 도그파이트 모드에 있었다면 도그파이트 모드를 취소(C 키)한다.

다) 공대공 레이더 모드 순환 키(F1 키)를 계속 누르면 ACM 서브모드
　　들이 한번 순환된 후 CRM 모드로 바뀐다.

① RWS 모드

　가장 기본이 되는 탐색 모드이다. 레이더 범위 내에서 탐색되는
　물체들의 위치와, 레이더 커서를 놀려놓는 한 개의 물체의 고도
　를 알 수 있다.

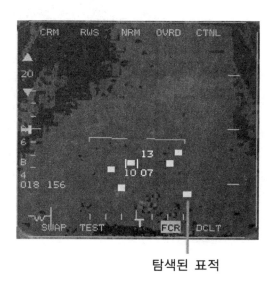

탐색된 표적

그림 5.43 RWS 모드 화면

　RWS에서 하나의 표적을 designate(KP0 키)하면 RWS SAM 모
드로 들어간다. RWS SAM 모드에서는 기본인 RWS 레이더의 정

보에 덧붙여서 한번 designate("버깅"한다라고도 말한다)한 표적의 aspect angle(TAA), 헤딩, 속도, 상대속도, 표적의 기종(NCTR에서)을 알 수 있다.

삼각형으로 나타나는 버깅한 표적 앞쪽에 붙은 막대가 표적의 이동 방향이고, 막대의 길이는 대략적인 속도를 나타낸다. 버깅한 표적에 대해서는 무장 운용이 가능하다.

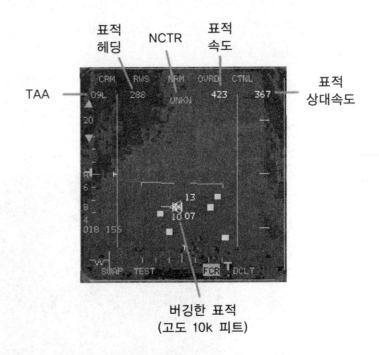

그림 5.44 RWS SAM 모드

RWS SAM 모드에서 레이더 커서를 버깅한 표적 위에 놓고 한번 더 designate를 하면 STT(Single Target Track; 단일 목표 추적) 모드로 들어간다. 여기서는 락온한 하나의 표적에 대해서 RWS SAM의 버깅한 표적과 같은 정보가 주어지며, 다른 탐색 표적들은 나RWS SAM 모드는 표적을 락온 하면서 다른 표적들을 볼 수 있는 장점이 있다.

나) LRS 모드

LRS 모드는 원거리에 있는 대형 표적(수송기, 폭격기, AWACS기 같은)을 탐색하기 위한 모드이다.

작동원리는 RWS와 같지만, 레이더 빔이 움직이는 속도가 느리기 때문에 근거리나 고속의 표적을 탐색 하는데는 적합하지 않다.

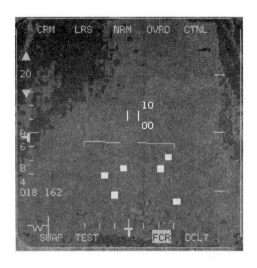

그림 5.45 LRS 모드

다) VSR 모드

VSR 모드는 기본 팰콘4.0에서의 VS모드가 이름만 바뀐 것이다. VSR 모드는 접근하는 표적만을 탐지한다.

다른 공대공 모드들은 표적을 거리에 따라 표시하지만, VSR 모드는 접근속도가 높은 표적을 레이더 위쪽에 표시한다. 예를 들면, range 1200으로 설정된 VSR 모드에 밑에서 위로 2/3높이에 있는 표적은 접근속도가 800kts라는 뜻이다.

VSR 모드에서 표적을 락온하면 STT 모드가 되는데, 이때는 더 이상 접근속도대로 표시되지 않고 다른 레이더 모드처럼 거리에 따라 표적의 위치가 레이더에 표시된다.

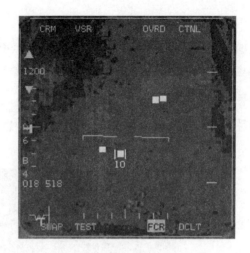

그림 5.46 VSR 모드

라) TWS

TWS 모드에서는 RWS모드에서보다 조금 더 많은 정보가 제공된다. 즉, 물체들의 위치와 이동 방향, 그리고 대강의 속도, 그리고 레이더 커서를 올려놓은 표적의 고도를 알 수 있다.

대신 RWS 모드보다 최대 레이더 탐지 영역이 더 작아진다는 단점이 있다.

2) ACM 모드

ACM 모드는 CRM 모드와 달리, 레이더 빔이 전방을 탐색하다가 레이더에 잡히는 표적을 무조건 락온하는 방식의 레이더 모드이다. 어떤 ACM 서브모드에서든지 표적을 락온하면 STT 모드로 들어간다.

기본 레이더 모드는 CRM 모드이며 F1키를 눌러 공대공 레이더 모드를 순환해도 ACM 모드가 나오지 않는다. ACM 모드로 가는 데는 다음의 방법들이 있다.

가) 도그파이트 모드를 누르면 자동으로 ACM 30x20 모드가 불러진다.

나) 레이더 MFD의 윗줄 맨 왼쪽의 CRM이라고 써있는 버튼을 누른 후 왼쪽 세로줄에서 ACM이라고 새로 나타난 글씨 옆의 버튼을 누른다.

다) CTL + F5/F6/F7/F8을 눌러 ACM 서브모드들을 직접 불러온다.
ACM 모드에서는 공대공 레이더 모드 순환 버튼(F1 키)을 누르면
30x20 서브모드, slewable 서브모드, boresight 서브모드, 10x60
서브모드들을 한번 순환한 뒤 CRM 모드로 바뀐다. 단, 어떤 ACM
서브모드에서든 레이더 커서를 움직이면 slewable 서브모드로 바뀌
고, 락온 해제 버튼을 눌러서(KP . 키) ACM 락온을 풀면 ACM
10x60 모드로 바뀐다.

① 30x20 모드

HUD 폭과 같은 가로 30 , 세로 20 의 영역에 대해서 레이더 빔
이 탐색을 위해 움직인다. 탐색 주기가 길기 때문에 별로 쓰이지
않는다. 다음 그림은 ACM 30x20 모드의 레이더와 HUD 표시다.

그림 5.47 ACM 30x20 모드의 레이더와 HUD

② slewable 모드

ACM 모드는 레이더 빔이 자동으로 움직이지만, slewable 모드에
서는 레이더 탐색 폭은 기본적으로 30x20 모드와 유사하지만 탐
색 중심점을 움직일 수 있어서, 그를 합치면 최대 60도 좌우폭과
40도 상하폭을 탐색할 수 있다. ACM 모드를 이용하되 일정한 방
향을 중점적으로 탐색할 필요가 있는 특수한 경우에 쓰인다.

그림 5.48 slewable 모드

③ boresight 모드

레이더 빔은 전방으로 고정되고 탐색폭은 가로폭 3.3˚, 세로폭 4.6˚로 제한된다. 표적을 가장 신속히 락온할 수 있다는 장점이 있지만, 그를 위해서 표적을 향해 기수를 직접 올려놓아야 한다는 단점이 있다.

그림 5.49 boresight 모드

④ 10×60 모드

다른 레이더 모드들은 레이더 빔이 좌우로 움직이지만, 이 모드에서는 레이더 빔이 상하로 움직인다.

좌우 탐색폭은 10이고, 상하 탐색폭은 수평에서 아래로 6, 위로 52를 가진다. 레이더 빔이 머리의 수직 위쪽을 탐색하므로 기체를 급격히 기울인 채로 적기를 향해 선회기동을 할 때

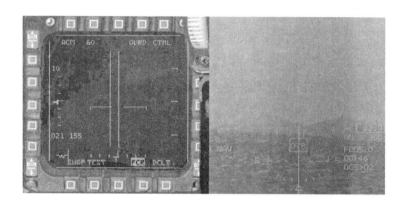

그림 5.50 10×60 모드

5.7.2 미사일 회피

가. 개요

미사일 회피는 미사일의 추진력을 소모시키고 다가오는 미사일에게 각도의 문제를 유발하며, 미사일에 높은 G가 걸리게 하여 미사일의 기동성의 한계를 넘도록 방어기동을 하여 미사일을 회피하는 것이 목표이다.

적의 미사일의 종류, 유도방식, 발사한 곳에 관계없이 모든 미사일 회피기동의 원칙은 같다. 레이더 추적 미사일이냐 적외선추적 미사일이냐에 따라 대응책의 사용은 약간 다르지만, 회피 기동은 동일한 원칙에 입각하여 실행한다.

유효 사거리가 먼 레이더 추적 미사일의 경우에는 사거리가 짧은 적외선 추적 미사일보다 기동성이 떨어지는 편인 대신 단거리용 미사일에 비해서 대체로 큰 탄두를 가지고 있어 근접신관의 폭발에 의한 피해가 더욱 크다.

나. 미사일은 회피할 수 없다.

날아오는 미사일들을 피할 수 있는 필살기는 없다. 그런 것이 있다면 모든 미사일은 무용지물이 될 것이다. 미사일이 명중 하는가 그렇지 않는가는 방어자가 얼마나 대응을 잘 했느냐에 달려있다기보다도, 공격자가 얼마나 좋은 위치에서 미사일을 발사하였는가에 주로 달려있다. 미사일 회피법이란 언제나 효과를 볼 수 있는 기동술이 아니라, 생존율을 아주 조금 높여주는 확률과 관계된 문제이다. 미사일 회피법을 알고 있고 그대로 실행하였다고 하더라도, 미사일 회피기동을 하였다는 것만으로 전세는 극히 불리해지고 연달아서 날아오는 미사일과 적의 공격에는 속수무책이 된다.

근거리용 미사일은 발사 후 길어야 약 5초, 보통 2-3초면 표적에 명중한다. 날아오는 미사일을 2-3초만에 발견하고 미사일 회피법을 생각해내서 정확하게 실행한다는 것은 사실상 불가능하다. 더욱이 최신형 미사일은 항공기가 최대한 급격하게 기동을 하더라도 그것을 따라잡고도 남을 정도의 기동성을 지녔기 때문에 어떠한 미사일 회피 기동법도 거의 아무런 효과가 없다.

다. 적의 공격을 방지하라

때문에, 날아오고 있는 미사일을 피하는 것은 미사일 방어에 있어서는 최후의 시도에 불과하며, 생존의 부수적인 요소일 뿐이다. 그러므로 미사일 회피 기동법에 생존을 의존해서는 안된다. 그보다도 적으로부터 미사일 공격을 받지 않는 것이 본질적으로 중요하다. 적의 미사일 공격을 방지하기 위해서는, 우선 적기의 레이더 조준으로부터 벗어나기 위해 노력하고, 가능하면 먼저 선제공격을 가함으로써 적을 방어 태세로 몰아넣어야 한다.

대개의 경우 무기 발사를 위해서는 먼저 레이더로 표적을 조준해야 하며, 적이 나를 공격할 때도 마찬가지이다. 따라서 적의 레이더를 피하는 것이 중요하다. RWR(레이더 전파 수신 경보기)을 이용하면 주변 360도 전방향에서 작동중인 레이더 전파의 방향과 위협 정도 등을 알 수 있으므로, 방어를 위해서는 레이더보다 RWR과 육안 경계에 더욱 주의하도록 한다.

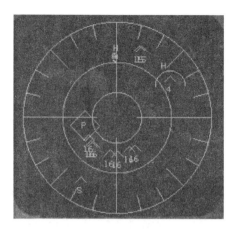

그림 5.51 레이더 전파 수신 경보기

적의 위치를 먼저 발견하면 상대의 레이더 범위를 피해서 공격 위치에 들어가도록 한다. 적이 나를 레이다로 발견하여 조준하였다면, 적기를 측면에 놓고 거리를 일정하게 유지하면서 채프를 뿌리며 고도를 변화시키도록 한다. 대부분의 전투기에서 쓰이는 펄스-도플러 레이더는 표적의 접근속도의 변화를 통해서 물체를 식별하므로, 적기와 일정 거리를 유지하면서 횡으로 움직이면 적 레이더의 탐지능력이 떨어지는 원리를 이용하는 것이다. 이렇게 적기나 미사일을 3시나 9시 방향의 측면으로 놓고 기동하는 것을 Beam 기동이라고 한다.

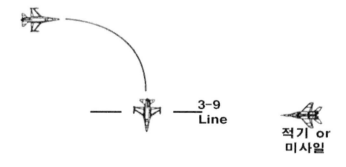

그림 5.52 Beam 기동

라. 미사일의 위치를 파악한다.

원거리에서 미사일이 발사되었다면 우선 미사일의 방향과 거리, 자신의 속도 등을 확인한다. 미사일이 날아오는 방향을 눈으로 확인하지 못한다면, 간단히 미사일을 발사한 기지나 적기가 있는 방향을 미사일의 방향이라고 생각한다. 날아오는 미사일을 눈으로 찾으려고 너무 애쓰지 않는다. 그럴 여유도 별로 없으려니와, 미사일의 속도는 대개 마하 2-4 정도이기 때문에 눈으로 본다고 하더라도 날아오는 미사일을 피해서 움직인다는 것은 어차피 힘들다. 미사일이 발사된 거리가 멀다면, 냉정하게 자신을 가다듬고 정확한 대응행동을 실시할 시간과 마음의 안정을 얻을 수 있다. 중거리 미사일은 도달하는데 20-30초 이상이 걸리기도 하므로, 중거리 공대공 미사일이나 중장거리 지대공 미사일에 대한 회피기동을 실시할 시간적 여유는 충분하다. 근거리에서 미사일이 발사되었다면 미사일을 찾으려고 애쓰거나 회피기동법을 기억하려고 애쓰기보다 플레어를 뿌리며 어느 방향으로든 급선회를 하도록 한다. 근거리의 미사일에 대해서는 정확한 대응법보다도 신속한 대응이 더욱 중요하다. 열추적 미사일이 날아온다면, 엔진의 배기열을 낮추기 위해 애프터버너를 즉시 끈다.

마. 미사일이 접근할 때

미사일이 원거리에서 비행해오는 동안에는 미사일을 자신의 허리쪽에 놓고 고도변화를 크게 주면 적의 레이더 조준을 어렵게 만들고 미사일에게 많은 운동각도의 변화를 유발하여 운동에너지를 조금이라도 더 소모시킬 수 있다. 미사일이 비교적 멀리 있을 때에는 급격한 회피 기동을 하면 방어기동에 필요한 운동에너지를 상실하고 멀리 있는 미사일에게는 작은 추적각 변화에 불과하므로 별로 효과가 없다. 미사일의 추진력은 보통 수 초만에 모두 소모되고 그 후에는 갈수록 운동에너지가 떨어져서 기동성이 둔화되므로, 원거리에서는 급격한 회피 기동은 피하고 미사일이 추적각을 많이 변화시켜서 기동을 많이 하게끔 크게 움직인다. 그리고 ECM, 채프나 플레어 등의 장비를 이용하여 적의 미사일 교란을 시도한다. 채프나 플레어 등은 미사일이 발사된 직후 그리고 미사일이 명중하기 직전 등의 순간에 급격한 기동과 함께 여러 발을 한꺼번에 사용하는 것이 유용하다.

바. 근거리에서

근거리에서는 미사일에 직각방향으로 최대 G로 기동을 실시하며 플레어와 채프를 투사한다. 미사일이 자신을 지때 높은 속도로 최대 G를 걸고 있으면서 자신의 허리부분(3-9시 라인)으로 지나치도록 하는 것이 가장 이상적이다. 이렇게 하면 미사일에게 최대한의 급기동을 유발하여 기동성으로서 미사일을 회피할 가능성이 높아진다. 방향은 수평면뿐만 아니라 수직면을 포함한 3차원의 급기동도 함께 사용하여 미사일에게 최대한의 급기동을 유발하여야 한다.

그리고 미사일의 리드추적기능을 혼란시키기 위하여 기동방향을 계속 변환함으로써 미사일에 급격한 방향선회를 유발하도록 한다.

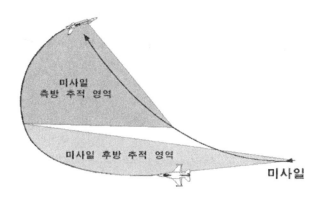

그림 5.53 급격한 방향선회

회피 기동시에는 급격한 선회를 위한 운동에너지가 충분해야 하고 미사일의 근접신관으로 인한 파편 피해에서도 더 안전해지므로 속도는 가급적 충분히 높은 것이 좋다.

미사일의 방향이 불확실하다면 그림 5.54와 같이 급격한 수직기동을 한다. 그러면 어느 방향의 미사일에 대해서도 효과적인 직각 급선회의 효과를 얻을 수 있다.

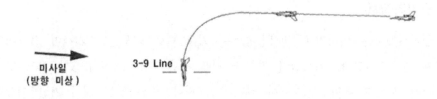

미사일
(방향 미상)

3-9 Line

그림 5.54 급격한 수직기동

제6장 **부록**
세계 각국의 전략미사일 개발 현황

6.1 소개

6.1.1 개요

1996년도에 중국은 대만 근해에 탄도미사일을 발사했고, 이란은 걸프만에서 순항미사일을 시험했으며, 미국은 이라크에 Tomahawk 및 AGM-86C 순항미사일을 발사했다. 탈냉전 이후 세계적인 무기 감축 협상과 조약 체결 노력이 계속되는 분위기 가운데서도 세계 각국은 경쟁적으로 전략무기를 개발하고 있는 추세이다. 본문에는 공격 및 방어미사일의 개발 전망, 군비 통제 조약, 종류별 전략미사일 개발 실태가 수록되어 있다.

6.1.2 공격 및 방어 미사일의 개발 전망

미국의 병기함(Arsenal ship) 개념이 계속 관심을 불러일으키고 있는데, 이 함정은 전쟁 수행에 있어서 상당한 변화를 가져올 것으로 보인다. 500기에 달하는 함대함 및 함대공미사일을 수직 발사시설에 탑재하고 지상부대, 함정 또는 항공기의 지휘관이 미사일을 원격 발사할 수 있는 이 대형 함정은 미래전의 전술과 결과에 상당한 차이를 야기 시킬 것이 분명하다. 최신 BGM-109 Tomahawk 순항미사일은 함정 발사식으로 사거리가 1,300km이며, 사실상 세계 모든 국가의 수도를 타격할 수 있는 능력을 갖추고 있다. 병기함(Arsenal ship)에 미래 함대공 미사일 체계까지 무장한다면, 탄도미사일과 순항미사일 위협에 대해 넓은 지역을 방어할 수 있는 능력을 보유하게 되어 미래 전투 그룹의 핵심으로 부상할 것이다. 또한, 세계 각국의 공군이 무인항공기 (UAV : Unmanned Aerial vehicle의 약자) 장래의 공격항공기로 받아들이기 시작했는데, UAV를 공격항공기로 이용시의 장점은 적 영공을 비행할 때 승무원들의 생명에 위험이 따르지 않는다는 점이고, 반면에 단점은 조종석에 사람이 없기 때문에 즉각적인 결정을 못하므로 융통성이 결여된다는 것이다. 생물학무기는 소량(30kg 정도)의 유효 탑재량으로 수만 명을 살상할 수 있어 20kt급 핵무기에 상당하는 파괴력을 갖고 있으므로, 소형 순항미사일 탄두에 장착시 매우 위험한 상황이 발생될 수도 있다. '90~'91년의 걸프전시 이라크의 바그다드에 구축되어 있던 지하벙커가 폭격 및 미사일 공격으로부터 다종 다양한 방어시설을 매우 효과적으로 방호할 수 있다는 것을 실증한바 있다. 이후로 다른 국가들도 이라크의 예를 따르고 있다는 명백한 징후들이 나타나고 있는데, 이란 리비아, 북한, 중국 및 러시아에 지하 벙커와 시설들이 있는 것으로 알려지고 있다. 레이저 무기는 광속의 이동능력이 있는 최상의 방어무기로 간주되고 있다. 그러나 아직 레이저 무기를 원거리로 지향시키는데 필요한 기술이 실증되지 못했지만, 현재의 연구 프로그램들이 이 문제를 곧 해결할 수 있을 것으로 예상된다.

지금까지 다년간 사용해 온 레이저는 조종사들의 눈을 부시게 한 정도로 기억하겠지만, 신기술에 의한 레이저 무기는 비과중적인 미사일을 파괴할 수 있을 정도로 출력이 증가되고 있다. 다음 단계는 항공기를, 그 다음에는 지구 저궤도를 도는 위성을 파괴하게 될 것이다.

6.1.3 군비 통제 조약의 동향

'96년도에 체결된 가장 대표적인 조약은 의심할 여지없이 포괄적 핵실험 금지 조약(CTBT : 포괄적 핵실험 금지 조약으로 Comprehensive Test Ban Treaty의 약자이며, 1996년 1월 28일 공표됨)이라 할 수 있다. '96년 6월, 합의된 본문을 도출하지는 못했지만, 의장 명의로 발간한 본문을 유엔 총회에서 표결에 부쳐 158 : 3이라는 압도적인 찬성으로 승인되었다.

CTBT의 본문은 '96년 9월에 공개되었으며, 첫 달에 130개국 이상이 서명하여 획득했다. 그러나 본문에는 핵시설을 보유한 44개국이 모두 조약에 서명 및 비준해야 한다는 조건이 포함되어 있는데, 현재 인도, 파키스탄 및 북한이 서명하지 않고 있으며, '96년 6월에 인도가 본문 합의를 거부함으로써 CTBT 회의는 공식 조약을 발표하지 못한 채 끝나고 말았다.

현재 서명된 비핵무기 지역은 남극('59), 라틴 아메리카 및 카리브해('67), 남태평양('86), 아프리카('96) 및 동남아시아('96) 등 5개 지역이다. 미국은 '96년 1월에 START Ⅱ(Strategic Arms Reduction Talks의 약자로, 제2차 전략무기제한조약(SALT Ⅱ) 이후 미국 레이건 대통령에 의해 제창된 미·소간의 전략무기 감축협정을 말하며, 1993년 1월 3일 공표되었음)를 비준했으나, 러시아는 그때까지 비준하지 않았다. 러시아가 국회에서 START Ⅱ의 비준 동의를 받지 못한 이유는 START Ⅱ와 관련된 군사적 및 경제적 정보의 부족, NATO 확장 계획에 대한 거부감, ABM(Anti-Ballistic Missile의 약자)조약에 임하는 미국 태도에 대한 불만 등이 복합적으로 작용한 것 같다. 현재 이 난국을 타개하기 위한 방법으로 START Ⅲ 협상을 시작하자는 의견이 제안되고 있는데, 이는 러시아와 미국이 공평한 군 구조와 함께 전략 핵탄두 재고량을 감축하는 방법을 검토하자는 것이다. 최종 목표는 군부의 강력한 항의에도 불구하고 핵탄두의 수를 각각 약 1,000기로 감축하는 것과 START Ⅲ 에 중국, 프랑스, 영국, 이스라엘, 인도 및 파키스탄을 참여시키는 것이라 할 수 있다.

한편, 미국과 북한은 '94년 북한의 흑연 감속 원자로(흑연 감속 원자로(graphite moderated reactor) : 흑연을 감속재로 사용하는 원자로) 대신 핵무기 물질 생산에 부적합한 대체 원자로를 공급하기로 전격 합의한바 있는데, 이는 대량 살상 무기의 확산을 경제적 접근 방식으로 저지시킨 선례로서 앞으로 미국이 다른 국가와의 협상에서도 동일한 조건을 적용할 것으로 전망된다. 물론 원자로 대체 협정 체결만으로 북한의 탄도미사일 및 순항미사일 개발을 지연시켰다고 볼 수는 없으나, 핵 확산 금지를 위한 경제적 유인책이 효과를 거두었다는 점에서 의미를 부여할 수 있다. 또한, '93년 미국과 러시아는 함정 및 잠수함용 순항 핵미사일을 퇴역시키고, 현용 전술 핵무기보유량의 정확한 통계가 발표되지 않고 있다. 다만, 러시아가 약 15,000~20,000기, 미국이 약 15,000기를 보유한 것으로 추산하고 있을 뿐이다. 현재 계획된 전술, 전략 핵무기 감축을 위해서는 핵무기 해체 및 안전 처리시설 확보 문제가 중요하게 부상된 것이며, 이들 시설의 확보 여부에 따라 무기 감축량을 조정할 것으로 보인다.

핵 감축이 진행되면, 미국과 러시아 양국이 연간 2,000개의 탄두를 처리한다고 가정할 때, 핵무기 보유 전량을 처리하기 위해서는 적어도 10년 이상이 소요될 것이다. 또한, 상당수 국가들이 엄청난 양의 화학무기를 비축하고 있고, 그 중에는 40년대에 개발된 것도 있어 안전관리를 위해 막대한 비용이 지출되고 있다. 현재 미국과 러시아는 핵 감축에 적극 나서는 반면, 다른 국가들은 오히려 핵보유국이 되기 위한 노력을 하고 있는 추세이다. 이미 핵무기 보유 사실을 공표한바 있는 중국, 프랑스, 영국 등의 보유 핵무기 수는 미국 및 러시아의 보유 핵무기 수와 비교할 수 없으나 지난 10년 동안 상당량의 핵무기를 증강했을 것으로 보인다.

그 외에도 이스라엘, 인도, 파키스탄이 핵탄두를 보유하고 있고, 남아프리카 공화국 역시 소량의 핵을 개발했다고 한다. 무엇보다 이라크는 핵무기를 보유하려는 노력이 성공을 거둔 전형적인 사례라고 할 수 있으며, 이와 유사하게 이란과 북한도 핵무기를 자체 개발하고 있다.

이와 같은 핵무기 보유국들이 핵 위협을 상당한 비중으로 다루고 있음에 비해 화학무기와 생물학무기의 위협이 상대적으로 경시되는 경향이 있다. 군인들은 화학무기와 생물학무기에 대한 적절한 방호 조치를 할 수 있으나, 민간인들로서는 특수 방독면이나 보호의 등으로서는 안전을 보장받을 수 없을 것으로 보인다. 따라서 화학무기와 생물학무기의 공격 위협만으로도 시민들에게 공포감을 조장하여 도시 탈출 소동으로 비화되어 극심한 혼란이 야기될 것이다. 미국과 러시아는 ABM 조약 상임 자문 위원회를 통해 전략 및 전구 탄도미사일 방어체계 사이의 명확한 가이드 라인 설정을 위한 협의를 했으나, '96년 10월에 중단되고 말았다. 초속 3km 이하로 비행하는 저속 요격기에 관한 합의된 본문에 서명하기로 했으나, 최종 순간에 취소되고 말았다. 실험의 통고 및 참관, 수효 및 위치의 제한, 요격기, 우주 설치 센서 및 무기, 그리고 지향성 에너지 무기에 핵탄두를 사용하는 문제와 고속 요격기를 포함할 것인가에 대한 합의를 도출하기 위한 협상은 계속되리라 믿는다.

주) 지향성 에너지 무기(Directed energy weapons) : 에너지를 레이저 입자 또는 X선의 형태로 표적에 지향하여 파괴하는 무기의 총칭으로, 중·고출력 레이저 무기, 고출력 마이크로파, 하전자 입자빔 등이 있다.

6.1.4 탄도미사일의 개발 동향

탄도미사일이 공격 위협무기로 본격 대두된 것은 이라크가 이스라엘에 대해 A1 Hussein 미사일을 사용했던 '91년 초를 기점으로 한다. 이때 이라크는 이스라엘을 자극하여 보복을 유도하기 위한 정치적 목적으로 Al Hussein 미사일을 사용했었다. 그 이전에도 아프가니스탄에서 세계의 이목을 교묘히 따돌린 채 탄도미사일이 사용된 바 있다. '88년 11월 이후 도시, 촌락, 보급로, 중간 대기 지역 등 모자헤딘7) 활동지역에 대해 Scud 미사일이 약 2,000기 이상 발사되었고, '89년 7월 한달 동안 00여 기가 집중 발사된 적이 있다. 이는 물론 상당한 성과가 있었겠지만, 과거 독일이 '44년과 '45년에 영국과 벨기에로 발사한바 있는 V-2 로켓이 연합군의 유럽 상륙에 별다른 영향을 주지 못 한 것처럼 Scud 역시 모자헤딘의 저항을 꺾지는 못했다.

보다 최근의 탄도미사일 공격은 '94년에 예멘, 이라크 및 보스니아에서 실시되었는데, 정치적 혹은 군사적으로 별로 중요시되지 않았다. 이는 탄도미사일 공격은 비효과적이라는 전망을 갖게 할 수도 있으나, 그런 전망은 극히 위험스럽다. 만약, 이라크가 25~85기의 A1 Hussein 미사일을 보유하고 있으면서 UN 사찰단에 숨기고 있고, 이 중의 일부 미사일을 세균탄두로 무장한다면 정치적인 의미는 엄철날 것이다. 또한, 중국, 이란 및 북한의 탄도미사일 개발 프로그램도 계속 관심의 대상이 되고 있다. '전략적 위협무기'는 아직 그 개념이 확정되지는 않았지만 한 국가의 영토를 중대하게 위협하는 무기로서 핵, 화학, 세균 탄두 및 재래식 대형 고폭 탄두 등을 탑재한 탄도미사일, 순항미사일, 공대지미사일, 유도폭탄 또는 비유도폭탄 등을 의미한다. '전략적 위협무기'의 사거리는 현재 각국이 가상 적(敵)의 주요도시, 방위시설 등을 타격하기 위해 필요하다고 산정한 사거리가 각각 다르기 때문에 정확한 숫자로 표시하기는 어렵지만, 통상 사거리 1,500km 정도면 세계 어느 지점의 표적이라도 타격할 수 있다고 본다. 탄두는 500kg 이상 되어야 중대한 피해를 발생시킬 수 있으며 '미사일 기술 통제 체제(MTCR : 미사일 기술 통제 체제(MTCR) : MTCR은 Missile Technology Control Regime의 약어이며, 1987년 선진 7개국이 참가하여 미사일 기술 확산 방지를 목적으로 하는 체제로, 현재의 회원국 수는 16개국임)'도 이를 받아들여 500kg 이상의 탄두를 탑재한 미사일이나 사거리 300kg 이상 되는 미사일의 기술 이양을 억제하고 있다. '미사일 기술 통제 체제(MTCR)'는 또한 탄도미사일 및 순항미사일에 관한 제한사항을 규정하고 있는데, 이는 '87년 최초 제정한 탄두 중량 및 사거리 기준이 탄도미사일과 순항미사일의 경우 약간의 수정만 하면 탄두 중량을 기준 이하로 줄이고도 사거리를 연장시킬 수 있다는 사실을 반영하지 못했기 때문이며 '93년에 기준의 개정이 이루어져 현재에 이르고 있다.

개정된 '미사일 기술 통제 체제(MTCR)' 지침은 탄두 중량에 상관없이 사거리 300km 이상 되는 탄도미사일 및 순항미사일의 수출을 억제하고 있다. 그 이유는 800kg 탑재하고 200km를 비과 할 수 있는 탄도미사일을 수입국에서 약간만 수정해서 탄두중량을 500kg으로 줄이는 대신 사거리를 300kg로 늘일 수 있고, 혹은 탄두 중량을 200kg으로 줄이고 사거리는 500km까지 늘일 수 있는 등 사거리를 연장할 가능성이 있기 때문이다.

한편, 제2차 세계대전 이후 독일 V-2 로켓 개발 사업과 관련한 전문 지식이 미국과 러시아로 양분되면서 탄도미사일 기술이 파급된 이래 지금까지 전 세계로 확산되고 있다. 미국과 러시아는 독일 과학자와 기술자에게서 핵심 개발 계획과 전문 지식을 습득하여 미사일 관련 전문 지식과 경험을 축적해서 선두 주자로 부상하였고, 세계적으로 많은 국가들이 그 뒤를 따르고 있다.

오늘날, 미사일 기술의 확산과 관련해서 스파이 활동이나 뇌물 증여 의혹이 제기되고 있으나 실상 가장 큰 요인은 전문 지식과 경험을 가진 고급 전문가들의 이동이라고 할 수 있다. 세계의 많은 국가가 미사일 개발을 위한 연구반을 편성하고 필요한 지원 시설을 설립하는 등 활발한 투자와 자금 지원을 하고 있으며, 이미 몇 개국은 견착식 소형 대전차 무기를 비롯해 대형 탄도미사일에 이르기까지 광범위한 미사일 개발 사업을 효과적으로 통합 추진하고 있다.

그중 가장 두드러진 사례가 탄도미사일 확산의 주범으로 지목받고 있는 중국일 듯 싶다. '50년대 후반을 기점으로 중국은 탄도미사일 보유에 관심을 갖기 시작해서, 이후 약 45년 동안 구 소련을 비롯, 브라질, 프랑스, 독일, 이탈리아, 영국, 미국 등의 관련 기업으로부터 원조를 받아 지금은 사거리 180~12,000km에 이르는 일련의 지상 및 함정 발사 탄도미사일을 운용하거나 개발 중에 있으며, 알려진 것만도 13종의 미사일 체계를 보유하고 있다.

중국은 직접 수출이나 기술 고문 등의 방식으로 이란, 리비아, 북한, 파키스탄, 사우디아라비아, 시리아 등에 개발 기술을 원조하였고, 북한이 다시 이집트, 이란, 시리아 등에 탄도미사일 관련 전문 지식을 전수하였으며, 이런 방식으로 탄도미사일 확산은 계속되어 10년 내에 새로운 국가들이 탄도미사일 보유 대열에 합류할 것으로 전망된다. '96년에도 탄도미사일과 관련하여 주목을 끈 보도가 많았다. 1월에는 인도가 장거리 탄도미사일인 Prithvi SS-250의 최초 실험을 실시했고, 3월에는 중국이 대만 근해에 CSS-6을 발사했으며, 5월에는 이란이 사거리 약 700km인 Tondar 68 미사일을 시험 발사했다는 보다가 있었다. 그리고 이란이 개발 중인 Zelzal을 중국과 북한이 각각 이란과 합작으로 개발한 탄도미사일에 새로운 명칭을 부여했는데, 중국은 합작한, Zelzal 1을 CSS-8(SA-2 'Guideline' 변형)로, Zelzal 3은 DF-25로 개명했으며, 북한은 합작한 Zelzal 2는 Scud-E 변형으로, Zelzal 3은 노동2호로 개명했다.

9월에는 이란이 Scud-E 변형을 개발 중이라는 보도가 있었는데, 이 미사일은 사거리 900km이나 종말 유도장치가 부착된 미사일은 사거리 300km인 것으로 알려졌다. 이란아세도 세균 탄두 개발 능력을 확보했을 것으로 예상된다.

또한, 시리아가 자체 생산한 Scud-B 및 Scud-C 변형에 대한 실험을 개시했다는 보고가 있었는데, 두 종류 모두 화학 및 세균 탄두를 장착했을 가능성이 있다. 이집트는 북한으로부터 Scud-C 결합체를 넘겨 받아 생산을 개시한 것으로 추측된다. 10월에는 대만의 Tien kung(sky bow) 지대공 미사일에 직접 기초하지 않고 별도로 개발된 탄도미사일로 사거리는 300km일 것으로 믿어진다. 12월에 중국은 DF-25 개발 프로그램을 중단했고, 그 대신에 현존 CSS-5(DF-21) 미사일의 정확도를 향상시키기 위해 GPS(Global Positioning System의 약자로, 전지구적 위치 표정 체계임)수신기를 부착하는 개량을 추진 중이다. 인도는

Agni 기술 시범 프로그램을 종료할 예정이라고 공표했으며, 북한은 준비 중이던 노동1호의 실험을 않기로 동의했다.

6.1.5 순항미사일의 개발 동향

'91년, '93년 및 '96년에 미국이 이라크에 사용한 高價의 순항미사일은 사거리 1,200km에서 10m 정도의 정확도를 나타냄으로써 세계 각국으로부터 많은 관심을 받았다. 그러나 순항미사일에 장착이 용이한 소형의 저렴한 GPS 수신기가 늘어남에 따라 低價의 지상공격 순항미사일 위협이 더욱 심각한 고려 대상이 되고 있다. 이러한 정밀 타격 능력에 폭약, 연료 공기 폭탄, 핵, 화학 및 세균 탄두 등 신기술 개발 탄두가 결합되면 가공할 만한 위력으로 대통령 관저를 비롯, 비행장, 항만, 병영, 상륙지역, 군 지휘부, 대형 함정, 발전소, 주요도시 등의 표적을 정밀 타격할 수 있기 때문에 강대국은 물론이고 약소국들도 이들 무기를 소량 확보함으로써 주변 국가들을 위협할 수 있게 된다.

한편, 미사일 기술 통제 체제(MTCR)는 사거리 300km를 기준으로 순항미사일과 탄도미사일을 구분하고 있는데, 사거리 300km인 탄도미사일로 전세계적으로 폭넓게 사용되는 SS-1 'Scud-B'가 구분선상에 걸려 있다.

그러나 통상 '순항미사일'이라 하면, '탄도미사일이 아니면서 지상표적 및 함정을 타격하는 미사일'정도로 인식되고 있다. 이는 특히 공기역학적 양력(aerodynamic lift)을 이용하여 비과 중 어떤 지점에서도 방향 및 고도를 변화시켜 순항한다는 점에서 탄도미사일과 결정적으로 구분되며 반드시 고도 30km 이하를 유지할 필요는 없다. 또한 사거리에 있어서도 기존 순항미사일이 사거리 500~600km가 주를 이루었던 반면, 최근 Exocet, Harpoon, Silkworm 등 사거리 50~130km인 지대공 미사일이나 공대지 미사일 등이 순항미사일에 포함되면서 사거리 300km 개념을 적용해서, 순항미사일 및 무인항공기의 수출을 통제하고 있다. 현재 순항미사일은 시간당 1,000km(0.85 마하)의 음속 이하로, 약 200m 고도의 저공으로 비행하며, 특히 적외선 신호 강도가 낮고 레이더 단면적이 작기 때문에 교전이 매우 어려운 표적으로 손꼽히고 있다.

순항미사일은 이미 '60년대 몇 개 기종이 개발되었으나, 이중 극소수만이 현재 계속 운용되고 있다. 초기 개발된 순항미사일들은 지상, 함정 및 항공기에서 발사하는 형태로서 사거리는 약 500km로서 대부분 부정확하고 신뢰도가 극히 낮았으나, '80년대에 미국과 러시아가 사거리 2,000km 이상인 순항미사일을 배치하면서 진일보를 이루었다.

앞으로도 핵탄두를 탑재한 사거리 500~3,000km의 '전략형 순항미사일'과 사거리 50~500km로서 고폭 탄두를 탑재한 '전술형 순항미사일'등 두 종류의 순항미사일이 유지될 전망이다. 이 중에서 '전략형 순항미사일'은 탄두 중량 100~500kg에 전체 중량 500~1,000kg이 될 전망이며, 특히 미사일 개발 기술이 세계적으로 확산된 관계로 소형 항공기 및 미사일 산업을 보유한 국가라면 이들 순항미사일을 개발해 낼 수 있을 것이다. '96년에는 많은 국가들이 탄도미사일 프로그램보다 값이 싸고 관련 기술을 쉽게 획득할 수 있는 低價의 순항미사일 개발 프로그램 쪽으로 관심을 기울이게 되었다. 1월에 이란은 중국으로부터 인수한 YJ-2 미사일의 실험을 시작했고, 7월에는 중국이 이란의 FL-10 및 Karus(Karus는 YJ-1 또는 CAS-1의 변형일 것으로 추측됨) 순항미사일 개발에 협조하겠다는 보도가 있었다.

Tondar라고 알려진 이란의 순항미사일은 이전의 보도에서는 탄도미사일 프로그램으로 분류되어 혼돈을 불러 일으켰다. 9월에 미국이 이라크 남부에 있는 목표물에 Tomahawk 잠수함 발사 미사일을 31기, B-52 폭격기로 AGM-86C 공중발사 순항미사일 13기를 발사했다. 11월에는 이란이 중국의 HY-2를 Pirouzi 75 프로젝트라는 이름으로 성능 개량 작업을 실시했다.

중국이 다양한 유형의 순항미사일을 개발하고 있다는 보도가 있는데, 이 중에는 사거리 100km인 공대지 미사일 YJ-91, CAS-1 'Kraken'을 개량한 사거리 200km인 YJ-62, 이스라엘의 STAR-1에 기초하여 사거리 200km의 對레이더 공대지 미사일로 개량한 YJ-2, 사거리를 400~600km로 연장시키기 위해 날개와 GPS를 부착한 신형 YJ-2, 그리고 SA-16 'Kickback' 또는 KH-65SE(SA-15 'Kent'의 변형)와 유사할 것으로 믿어지는 핵무장 공대지 미사일 등이 포함된다. 11월에는 중국이 'song'급 039 SSK 디젤 기관 잠수함에 순항미사일을 장착할 계획이라고 발표했는데, YJ-1 또는 YJ-2 미사일이 채택될 전망이다. 또한 중국은 SS-N-22 'Sunburn' 초음속 순항미사일 체계가 장착된 러시아제

'Sovremenny' 급구축함 2대를 구입했다.

러시아는 여러 종류의 미사일을 계속 개발 중이며, '96년에는 공중 및 잠수함 발사 미사일인 'Alfa'에 관한 세부 자료가 공개 되었는데, 기동성을 높이고 사거리를 연장시키기 위해 델타익을 부착했고, 터보 제트 또는 램 제트 엔진을 택일하여 사용할 수 있으며, 열 영상 레이더 對比장치가 장착되어 있다.

주) 터보 제트(turbo jet) : 대기를 압축기로 압축하고 이 압축공기에 연료를 분사시켜 점화연소시키면 고온·고압의 연소가스가 만들어지는데, 이 연소가스로 터빈을 구동시키고 터빈을 거쳐 나온 가스를 다시 추력용 노즐을 통해 후방의 대기로 분출시켜 반동력을 얻는 방식이다.

주) 램제트(ramjet) : 마하 3 이상의 속도를 낼 수 있는 제트엔진으로 터빈이 없다. 속도가 빨라 터빈을 사용하여 공기를 압축해 줄 필요가 없기 때문이다.

6.1.6 방어무기의 개발 동향

확산 일로에 있는 탄도미사일 및 순항미사일에 대한 광범위한 방어 수단이 필요하다는데 합의가 이루어진 가운데 당사국간 조약 체결, 경제적 유인책 제시, 핵, 화학 및 세균 탄두 생산 금지, 무기 도태, 대응 전력 운용 혹은 선제 공격, 능동적 혹은 수동적 방어 등 다각적 대응 조치가 강구되고 있다. '91년 걸프전은 탄도미사일 수송 차량의 위치를 탐지하여 파괴시키는 것이 얼마나 힘든가를 극명하게 보여 주었으며, 순항미사일의 발사대는 크기도 소형일 뿐 아니라, 함정이나 잠수함에서도 발사할 수 있어 대응이 더욱 어려운 실정이다. 또한, 당사국간 조약 체결도 많은 난제에 둘러싸여 있어 탄도미사일 및 순항미사일의 관련 핵심 기술이 자금력 보유집념을 가진 국가로 흘러 들어가는 것을 거의 막을 수 없게 되었다. 각국의 **핵** 및 화학, 생물학 무기 개발 시설에 대한 감시에 상당한 비용이 소요될 뿐 아니라 내정 간섭의 소지가 있어 대다수 국가들이 이에 대한 생존대책으로 탄도미사일 및 순항미사일 방어 체계 구축을 요청하고 있으나 과도한 비용이 문제로 남아 있다.

걸프전 당시 이스라엘과 사우디아라비아에 배치되어 A1 Hussein 미사일과 교전했던 MIM-104 개조형 Patriot 미사일은 정치적 견지에서는 성공작으로 볼 수 있으나, 군사적 견지에서 보면 비교적 저속으로 낙하나는 재돌입 표적(re-entry target : 한 번 대기권 밖으로 나갔다가 다시 대기권으로 돌아오는 우주선 또는 로켓 등을 말한다)에 대해서도 방어 한계를 여실히 드러내었다. 따라서 탄도미사일이 주요 도시 등 타격 목표에 접근하기 전에 요격함으로써 파편 피해를 방지하는 지역 방어무기의 필요성이 대두되었다.

이는 특히 기존 지대공 미사일 체계의 '격추 임무' 개념을 크게 변화시킬 것으로 전망된다. 현재 '격추 임무'라 하면『공격 항공기를 성공적으로 저지하여 표적에 대해 미사일이나 폭탄을 발사 혹은 투발하지 못하도록』하는 개념인 반면, 앞으로는 전구 미사일 방어 체계의 적용으로 말미암아『접근 물체를 파괴하여 방어 지역내 파편 피해를 방지』하는 개념이 될 것이다.

A1 Hussein 미사일은 지구 대기권에 재진입하면서 수 개로 분산되므로 Patriot 미사일의 방어 부담이 가중되고, 결국 A1 Hussein 미사일의 탄두와 연료탱크가 그대로 주요 도시나 비행장에 떨어지는 사례가 발생할 수 있다. 또한, A1 Hussein의 탄두부를 요격한다 해도, 이번에는 미사일 모터 부분이 주택지나 아파트 단지 등에 떨어져 상당한 물적 피해와 함께 인명 살상까지 초래할 우려가 있다. 이와 같이 부정확한 미사일 공격으로 도시 전체가 위험에 놓이는 상황이 실제 발생하지는 않았지만, 군사 계획자들로서는 이를 심각하게 받아들여 적절한 대응 방안을 강구해야 할 것이다.

공격하는 입장에서는 표적을 임의로 선정하여 탄도미사일로 공격할 것이고, 민간인 피해를 발생시킨다면 상대국에 엄청난 정치적 압박을 가할 수 있을 것이다. 또 비행장, 병영, 항만 등 전통적 군사 표적뿐만 아니라, 대통령 관저를 비롯한 주요 도시, 중요 산업단지, 정유소, 발전소 등까지 표적을 삼을 것이 분명하고, 방어측으로서는 특정 지역 내 모든 표적을 방어할 수 있다. 기동형 방어 체계의 필요성이 더욱 커지고 있다. 특히, 국가 단위와 같이 지리적으로 광범위한 지역을 미사일 위협으로부터 원활히 방어하기 위해서는 국경 밖에서 미사일을 요격해야 하므로 이를 위해 미래의 탄도미사일 및 순항 미사일 방어는 다국형 체제로 가야 할 것이다.

한편, 미국은 '1단계 전략 방위 체제'로서 미주 대륙에 한해서 탄도미사일 방어를 제공하던 '전략 방위 구상(SDI : Strategic Defense Initiative의 약어이며, 탄도미사일 방어 체제 구축을 위주로 한 방위 구상으로서 1983년 제창)'을 변경, 전 지구 차원의 탄도미사일 방어를 제공할 수 있도록 '제한 공격에 대한 세계적 방어(GPALS : Global Protection Aganist Limited Strike의 약어이며, SDI의 대안으로 연구 중인 방위 계획)' 체제로 나아가고 있다. 이를 위해 미국은 '91년 러시아와 회담을 개시했으나, 러시아의 당국자는 기존 '대탄도미사일(ABM : Anti-Ballistic Misslie의 약자이며, 적국의 ICBM, SLBM 등의 공격으로부터 도시와 ICBM 진지를 방어하는 방공 체계) 조약'을 고수하는 가운데 탄도미사일 방어의 우주로 확대하는 것에 반대하여 대신 START Ⅱ에 따라 전략공격무기 감축을 계속 지원 할 것이라는 입장이었다.

이에 대해 미국에서는 러시아 입장에 동조하는 측과 '대탄도미사일 조약'의 내용을 수정해서 제한된 전구 혹은 전술 탄도미사일 방어를 포함시켜야 한다는 측으로 분리 대립하였으나, '93년 1월 미 클린턴 대통령이 기존 '전FIR 방위구상 기구(SDIO : Strategic Defense Initiative Organization의 약어)'의 명칭을 '탄도미사일 방어기구(BMDO : Ballistic Misslie Defense Organization의 약어)'로 변경함으로써 미국은 우선적으로 전구 방어에 노력을 집중하여 PAC-3 (ERINT). THAAD, Standard 등 체제를 구축하기 위해 SA-10 'Grumble', SA-12 'Gladiator/Giant'를 개발하고 있다는 보도가 있다.

현재의 '대탄도미사일 조약'은 미국과 러시아의 탄도미사일 방어 기지를 1개만으로 제한하고 있으나, 보유 무기를 국경 주변의 수개 기지에 분산할 경우에 운영비용을 줄일 수 있고 효과를 극대화하는 등 장점이 있고, 미군의 해외 파병이 많긴 하지만 지리적 특성상 러시아도 인접국의 위협 부담이 큰 상황이기 때문에 상호 이해에 맞는 선에서 '대탄도미사일 조약'이 개정될 것으로 전망된다. 또한, 대량 살상 탄두를 탑재한 탄도미사일 및 순항미사일 및 순항미사일이 계속 확산될 경우, 미국과 러시아는 일부 문제 국가를 비롯해 테러집단, 마약 밀매단 등 보복 위협만으로는 저지할 수 없는 세력으로부터 심각한 위험을 받을 것이다. 따라서 이런 불순 세력으로부터 국토와 국민과 국익을 보호하기 위해서는 탄도미사일 및 순항미사일에 대한 방어 체제를 갖추어야 할 것이며, 이는 비단 미국과 러시아뿐 아니라 그 밖의 많은 국가들의 당면 문제이기도 하다. 그러나 세계 최대의 부유국이라 할지라도 독자적으로는 대대적인 전략 핵탄도미사일 공격에 대한 방어체제 구축 비용을 감당하기 곤란할 것이므로 관계국들이 만족할 만한 공동 대책을 강구하여 탄도미사일 및 순항미사일에 대한 제한된 전구/전술 방어 체제를 가동해야 할 것이다.

물론 이런 방어 체제가 '72년에 체결된 대탄도미사일 방어조약의 '상호 확증 파괴' 개념을 바꾸지는 못할 것이다. '95년 미국과 러시아는 회담을 통해 사거리 3,500km 이하, 재진입 속도 5km/s 이하인 미사일에 대한 전구 탄도미사일 방어는 대탄도미사일 조약에 따르기로 합의한바 있으며, 최대 속도 3km/s 이하인 요격미사일에 대해서는 차후 회담에서 적용여부를 결정할 것이다.

현재 주요 국가군을 중심으로 탄도미사일 및 순항미사일에 대한 방어 무기 보유를 위한 인식이 확산되는 추세이지만, 미국과 러시아가 연구개발 계획을 추진하는 외에는 기타 국가의 경우 비용 부담으로 인해 상당히 뒤떨어져 있다. 그중 이스라엘이 탄도미사일 위협과 관련, 이미 '88년에 Arrow 개발 계획에 착수한 바 있으며 유럽 및 극동의 국가들은 현재 논의만 하고 있다. 한편, 수개 국이 기존 지대공미사일을 대탄도미사일로 개량하고 있으나, 미국과 러시아도 수차례 시험에서 만족할 만한 성과를 얻지 못했다.

앞으로 배치될 지역 방어무기와 관련, 그중 일부는 탄도미사일 위협에 대응할 수 있는 능력을 갖추고, 다른 일부는 순항미사일 위협에 대응할 수 있는 능력을 갖추어야 할 것이다.

현재 탄도미사일 방어무기가 순항미사일이나 대지공격기(對地攻擊機)와도 교전할 수 있을지는 미지수이나, 탄도미사일을 비롯한 순항미사일 및 공격기와 교전할 수 있을지는 미지수이나, 탄도미사일을 비롯한 순항미사일 및 공격기와 교전할 수 있는 하나의 방어체제 구축이 필요할 것이며, 이를 위해 방어무기의 비과 속도를 획기적으로 제고 시켜야 하고, 그 일환으로 저렴하고 신뢰성 있는 초고속포 (Hypervelocity gun) 및 레이저 무기를 개발해야 할 것이다.

6.1.7 향후 전망

탄도미사일은 세계적으로 약 50종의 탄도미사일이 운용되고 있고, '97년에 단거리 탄도미사일 16종, 중거리 탄도미사일 14종, 대륙간 탄도미사일 8종이 개발에 착수 되는 등 계속 확산되고 있다. 더욱 우주 발사체의 증가와 함께 많은 국가들이 탄도미사일과 관련한 첨단 기술을 획득하고 있고, 민간 부문의 우주 개발 사업이 급진전되면서 관련 전문 지식과 기술이 세계적으로 확산되는 추세이다. 순항미사일은 종전까지 탄도미사일에 비하면 확산 속도가 매우 느린 편이었으나, 현재는 이미 52종의 순항미사일이 세계적으로 운용되고 있고, 34종이 개발 중이며, 31종이 자금 확보를 기다리고 있어 이제 상당한 위협으로 부상하고 있다. 순항미사일은 탄도미사일에 비해 제조 단가가 낮기 때문에 양적으로 매우 큰 위협이 될 것이다.

부록 표 1 운용 중인 단거리 탄도미사일

무 기 체 계	탄두중량 (kg)	최대사거리 (km)	운 용 국 가
SS-21 'Scarab A' (OTR-21)	480	70	카자흐스탄, 리비아, 폴란드, 러시아, 시리아, 우크라이나, 예멘, 벨라루스
SA-2 변형	130	80	북한, 세르비아
Hatf 1	500	80	파키스탄
Hatf 1A	500	100	파키스탄
SS-21 'Scarab B'	480	120	러 시 아
Ching Feng (Green Bee)	400	130	대 만
MGM-52 Lance	450	130	이란, 이스라엘
Iran 130 (Mushak-120)	190	130	이 란
CSS-8(M-7/8610)	190	150	중국, 이란, 이라크
Prithvi SS-150	1,000	150	인 도
Alacran	500	150	아르헨티나
SA-5 변형	300	150	아제르바이잔
NHK-1	300	150	한 국

무 기 체 계	탄두중량 (kg)	최대사거리 (km)	운 용 국 가
NHK-2(현무)	300	180	한　국
Prithvi SS-250	500	250	인　도
CSS-7(DF-11/M-11)	800	280	중국, 이란, 파키스탄
SS-1 'Scud B' (R-17)	985	300	아프가니스탄, 아제르바이잔, 벨라루스, 이집트, 그루지아, 이란, 카자흐스탄, 북한, 리비아, 페루, 루마니아, 러시아, 시리아, 우크라이나, 아랍에미리트 연방, 베트남, 예멘

무 기 체 계	탄두중량 (kg)	최대사거리 (km)	운 용 국 가
"Scud B" 변형	985	300	이란, 북한, 시리아, 자이르
Project T	985	450	이 집 트
Hades	400	480	프 랑 스

부록 표 2 운용 중인 중거리 탄도미사일

무 기 체 계	탄두중량 (kg)	최대사거리 (km)	운 용 국 가
Jericho 1(YA-1)	500	500	이스라엘
Scud C 변형	500	550	이집트, 이란, 북한, 리비아, 시리아
CSS-6(DF-15/M-9)	500	600	중국, 시리아
Al Hussein	500	650	이 라 크
노동 1호	1,000	1,000	북　한
Jericho 2(YA-3)	1,000	1,500	이스라엘
CSS-N-3(JL-1)(SBLM)	600	1,700	중　국
CSS-5(DF-21)	600	1,800	중　국

CSS-2(DF-3)	2,150	2,800	중국, 사우디아라비아
M-4(SLBM)	1,000	4,000	프랑스
CSS-3(DF-4)	2,200	4,750	중 국

부록 표 3 운용 중인 대륙간 탄도미사일

무 기 체 계	탄두중량 (kg)	최대사거리 (km)	운 용 국 가
CSS-4(DF-5)	1	13,000	중 국
M-45(SLBM)	6	6,000	프랑스
SS-13 'Savage' (RS-12)	1	9,400	러시아
SS-17 'Spanker' (RS-16)	4	10,000	러시아
SS-18 'Santan' (RS-20)	10	11,000	러시아, 카자흐스탄
SS-19 'Stiletto' (RS-18)	1 또는 6	10,000	러시아, 우크라이나
SS-24 'Scalpel' (RS-22)	10	10,000	러시아, 우크라이나
SS-25 'Sickle' (RS-12M)	1	10,500	러시아
SS-N-8 'Sawfly' (SLBM)	1	7,800	러시아
SS-N-18 'Stingray' (SLBM)	3	6,500	러시아
SS-N-20 'Sturgeon' (SLBM)	4 또는 10	8,300	러시아
SS-N-23 'Skiff' (SLBM)	4	8,300	러시아
LGM-30G Minuteman 3	1 또는 3	13,000	미 국
LGM-118 Peacekeeper MX	10	9,600	미 국
UGM-96 Trident C4(SLBM)	4 또는 8	7,400	미 국
UGM-133 Trident D5(SLBM)	1 또는 8	12,500	미국, 영국

부록 표 4 개발 중인 단거리 탄도미사일

무 기 체 계	탄두중량 (kg)	최대사거리 (km)	운 용 국 가
Al Samoud	300	140	이라크
KSR-1/-420	200	150	한 국
Sakr/Ababil 100/150	500	150	이라크
Zelzal 1	190	150	이 란
K-15 Krajina	130	150	세르비아
SS-21 'Scarab C'	320	185	러시아
Mushak 200	500	200	이 란
Scud B 변형	985	300	리비아
Hatf 2	500	300	파키스탄
CSS-7/M-11 변형	500	300	이 란
Tien Chi(Sky Halberd)	500	300	대 만
Prithvi(SLBM)	500	300	인 도
Prithvi SS-350	500	350	인 도
Scud B 변형	700	400	세르비아
Zelzal 2	700	400	이 란
SS-X-26	700	400	러시아

부록 표 5 개발 중인 중거리 탄도미사일

무 기 체 계	탄두중량 (kg)	최대사거리 (km)	운 용 국 가
Hatf 3	500	600	파키스탄
Vector	450	600	이집트
Iran 700(Scud C)	500	700	이 란

Al Fatah	400	950	이란, 리비아
Tein Ma(Sky Horse)	500	950	대 만
M 18(Tondar-68)	400	1,000	중국, 이란
Capricornio 변형	500	1,300	스페인(보류)
노동 2호	1,000	1,500	북한, 이란
Zelzal 3	1,500	1,500	이 란
DF-25	2,000	1,700	중국, 이란
대포동 1호	1,000	2,000	북 한
Agni	1,000	2,500	인 도(보류)
대포동 2호	1,000	3,500	북 한
Jericho 3	1,000	4,800	이스라엘

부록 표 6 개발 중인 대륙간 탄도미사일

무 기 체 계	재도입 탄두수(RVs)	최대사거리(km)	운 용 국 가
CSS-NX-6(JL-2)(SLBM)	1 또는 3	8,000	중 국
DF-31	1	8,000	중 국
DF-41	1	12,000	중 국
M-51(SLBM)	10개 이하	11,000	프랑스
Surya	1	12,500	인 도
SS-X-27(Topol-M)	1	10,500	러시아
SS-NX-27(SLBM)	불명	불명	러시아
SS-NX-28(SLBM)	불명	불명	러시아

부록 표 7 운용 중인 순항미사일

개발 국가	무 기 체 계	탄두중량 (kg)	사거리 (km)	운 용 국 가
중 국	CSS-N-4(YJ-1)	165	50	중국, 북한, 이란, 태국
일 본	ASM-1(Type 80)	150	50	일 본
노르웨이	Penguin 3	140	50	노르웨이
남아프리카 공화국	MUPSOW	450	50	남아프리카 공화국
미 국	AGM-130	900	50	미 국
프랑스	AS 37 Martel	150	55	프랑스
러시아	SS-N-14(85RU)	300	55	러시아, 우크라이나
미 국	AGM-78	100	55	미국, 한국, 이스라엘
러시아	AS-13(Kh-59)	150	60	러시아, 아제르바이잔, 벨라루스, 카자흐스탄, 우크라이나
러시아	SS-N-7(P-20L)	513	65	러시아
프랑스	MM 40 Exocet (MM 38, AM 39 및 SM 39)	165	70	프랑스, 한국, 아르헨티나, 바레인, 벨기에, 브라질, 브루나이, 카메룬, 칠레, 콜롬비아, 키푸로스, 에콰도르, 이집트, 독일, 그리스, 이라크, 인도, 인도네시아, 페루, 쿠웨이트, 리비아, 말레이시아, 모로코, 나이지리아, 오만, 파키스탄, 카타르, 사우디아라비아, 싱가포르, 남아프리카, 태국, 튀니지, 아랍 에미리트 연방, 영국, 베네수엘라

개발 국가	무 기 체 계	탄두중량 (kg)	사거리 (km)	운 용 국 가
중 국	YJ-9	30	100	중 국
중 국	CAS-1(YJ-6)	513	110	중국, 이란, 이라크

러시아	SS-N-9(P-50)	500	110	러시아, 우크라이나
영 국	Sea Eagle	230	110	영국, 칠레, 인도, 사우디 아라비아
러시아	AS-18(Kh-59M)	320	115	러시아
러시아	SS-N-22(P-80)	300	120	러시아, 중국, 인도, 이란, 우크라이나
미 국	AGM/RGM/UGM-84 Harpoon	220	120	미국, 한국, 호주, 캐나다, 덴마크, 이집트, 독일, 그리스, 인도네시아, 이란, 이스라엘, 이탈리아, 쿠웨이트, 일본, 말레이시아, 네덜란드, 파키스탄, 오만, 뉴질랜드, 포르투갈, 싱가포르, 사우디아라비아, 스페인, 대만, 태국, 터키, 영국, 아랍 에미리트 연방, 베네수엘라
중 국	CSSC-8(YJ-2)	165	120	중국, 이란
중 국	CSC-6(HY-3)	513	130	중 국
러시아	SS-N-25(Kh-35)	145	130	러시아
중 국	CSSC-7(HY-4)	500	135	중 국
이라크	FAW-150	500	150	이라크
일 본	SSM-1(type 87)	225	150	일 본
러시아	AS-16(Kh-15)	150	150	러시아
러시아	AS-11 개량형	150	180	러시아

개발 국가	무 기 체 계	탄두중량 (kg)	사거리 (km)	운 용 국 가
프랑스/ 이탈리아	Otormat 1/2	210	180	프랑스, 이탈리아, 이집트, 이라크, 케냐, 리비아, 말레이시아, 모로코, 나이지리아, 페루, 사우디아라비아, 베네수엘라
러시아	AS-17(Kh-31)	90	200	러시아
프랑스	ASMP	200	250	프랑스

러시아	AS-6(Kh-26)	1,000	400	러시아, 벨라루스, 이란, 우크라이나
러시아	AS-4(Kh-22)	1,000	400	러시아, 벨라루스, 이란, 카자흐스탄, 우크라이나
러시아	SS-N-3(P-5)	1,000	450	러시아, 앙골라, 불가리아, 세르비아, 시리아, 우크라이나
러시아	SS-N-12(4K80)	1,000	550	러시아, 우크라이나
러시아	SS-N-19(P-500)	750	550	러시아, 우크라이나
러시아	SS-N-21(PK-55)	300	2,400	러시아
러시아	AS-15(Kh-55)	300	2,400	러시아, 우크라이나
미 국	BGM-109 Tomahawk	450	2,500	미 국
미 국	AGM-86 ALCM	450	2,500	미 국
미 국	AGM-129 ACLM	450	3,000	미 국
러시아	AS-15B(Kh-55)	300	3,000	러시아

부록 표 8 개발 중인 순항미사일

개 발 국 가	무 기 체 계	탄두 중량(kg)	사거리(km)
중 국	CSSC-X-5(C-101)	300	50
프랑스/이탈리아	Milas	295	55
이탈리아	Marte 2B	70	60
브라질	SM70 Baracuda	150	70
중 국	YJ-12	340	100
인 도	Koral	300	120
이 란	Karus/Tondar	165	120
미 국	SLAM ER	340	150

일 본	ASM-2(type 88)	150	150
남아프리카 공화국	MUPSOW 변형	450	150
프랑스	APACHE	520	150
북 한	HY-2 개량형	500	160
중 국	YJ-2 개량형	165	180
중 국	HY-3 개량형	513	180
중 국	YJ-91	50	200
중 국	YJ-62(C-611)	500	200
중 국	HY-41(C-201W)	500	200
이스라엘	Gabriel	240	200
일 본	XSSM-2	225	250
러시아	Kh-41	320	250
대 만	Hsiung Feng 3	225	300
인 도	Sanrika	300	300

개발국가	무 기 체 계	탄두 중량(kg)	사거리(km)
러시아	Kh-SD	410	300
러시아	SSC-X-5 Sapless	500	300
중 국	AS-16 변형	150	300
러시아	Alfa(3M54)	300	300
미 국	JASSM	400	320
프랑스/영국	APACHE-AI(Storm Shadow)	400	400
이 란	Pirouzi 75(HY-2 v)	500	400

이스라엘	Delilah cruise	150	400
프랑스	SCALP	400	600
중 국	YJ-2 변형	불 명	600
인 도	LaKsHya 변형	450	600
러시아	Kh-101	400	3,000

부록 표 9 개발 중인 순항미사일 프로그램

개 발 국 가	무 기 체 계	탄두 중량(kg)	사거리(km)
프랑스	AASM	250	60
미 국	Longhorn Maverick	135	75
이라크	Ababil	300	150
프랑스/독일	ANNG	170	150
미 국	Harpoon 2000	220	150
중 국	HY-4 개량형	500	200

개발국가	무기체계	탄두 중량(kg)	사거리(km)
독일	DWS-24(Taurus/TADS)	200	200
러시아	3M51	200	200
러시아	AS-18 개량형	315	200
이탈리아	Skyshark powered	900	200
스페인	ALADA	500	200
영국	SWAARM 2000	250	200
미국	AGM-130E	450	200
미국	AGM-154 powered	250	200

스웨덴	DWS-39(TADS)	200	250
러시아	SS-N-25 개량형	145	250
러시아	YP-85	570	250
프랑스	Otomat 3/4	210	250
영국	Pegasus/Centaur/(PGM-4)	450	250
이스라엘	Popeye 3	250	300
러시아	Bastion/Yakhont	불명	300
이탈리아	Teseo 3	210	300
미국	Grand SLAM	355	300
미국	ALCAM	450	300
독일	KEPD 350	200	350
프랑스	Asura	240	400
러시아	Kh-65SE	410	600
프랑스	ASMP plus	200	600
미국	Air Hawk	400	600

부록 표 10 전술 탄도미사일 방어체계

무 기 체 계	운 용 국 가
SA-10 "Grumble" (S-300 Buk)	러시아, 벨라루스, 불가리아, 중국, 체코, 이란, 슬로바키아, 시리아, 우크라이나
SA-12A "Gladiator" (S-300V/2)	러시아
SA-12B "Giant" (S-300V/1)	러시아
SA-17 "Grizzly" (Buk 2M)	러시아
SA-N-6 "Grumble" (S-300 Fort)	러시아
SA-N-12 "Grizzly" (Buk 2M)	러시아

MIM-104 Patriot	미국, 독일, 이스라엘, 일본, 쿠웨이트, 네덜란드, 사우디아라비아
SH-08(A-30)[ABM]	러시아
SH-11(A-35)[ABM]	러시아

부록 표 11 개발 중인 전술 탄도미사일 방어체계

무 기 체 계	운 용 국 가
SAM 체계(KS-2)	중국
HQ-9	중국
HQ-10	중국
FASF(Aster)	프랑tm, 이탈리아
초고속 포(Hypervelocity gun)	프랑스
LATEX(레이저 무기)	프랑스
HELEX(레이저 무기)	독일
초고속 포(Hypervelocity gun)	독일
Akash SAM	인도
FAW-1	이라크
SAM 체계	이란
AB-10	이스라엘
Arrow 2	이스라엘
초고속 포(Hypervelocity gun)	이스라엘
Python plus(IBIS)	이스라엘
Tan-SAM 2(Chu-SAM)	일본
초고속 포(Hypervelocity gun)	일본

Anza ASM	파키스탄
SA-X···(S-400 또는 S-500)	러시아

무 기 체 계	운 용 국 가
SA-NX···	러시아
A-135[ABM]	러시아
지상 설치 레이저	러시아
공중 레이저	러시아
함정 설치 레이저	러시아
초고속 포(Hypervelocity gun)	러시아
SAHV-RS 변형	남아프리카 공화국
Sky Bow 3 SAM	대만
MADS	대만, 미국
RIM-67 Standard Block 4A	미국
RIM-67 Standard Block SM-X	미국
PAC-3(ERINT)	미국
THAAD	미국
지상 설치 요격무기	미국
MIM-120 NASAMS	미국, 노르웨이
ASAM-1	미국
MEADS	미국
지상 설치 레이저(THEL)	미국, 독일, 이탈리아
함정 설치 레이저	미국, 이스라엘
공중 레이저	미국
초고속 포(Hypervelocity gun)	미국

유도무기학

발 행 일	2011년 2월 28일
재 판	2017년 3월 10일
공 저	이영욱 · 최창규
발 행 인	박승합
발 행 처	노드미디어
등 록	제 106-99-21699 (1998년 1월 21일)
주 소	서울특별시 용산구 한강대로 320
전 화	02-754-1867, 0992
팩 스	02-753-1867
홈페이지	http://www.enodemedia.co.kr
I S B N	978-89-8458-2361-933550

정가 26,000원

*낙장이나 파본은 교환해 드립니다.